D0989067

AINSI SOIT-IL
OU
LES JEUX SONT FAITS

ŒUVRES D'ANDRÉ GIDE

nrf

Les Nourritures terrestres *et* les Nouvelles Nourritures.
Amyntas.
Paludes.
Le Prométhée mal enchainé.
Le Voyage d'Urien.
Le Retour de l'Enfant prodigue.
Isabelle.
La Symphonie pastorale.
L'École des Femmes, *suivi de* Robert *et de* Geneviève.
Les Caves du Vatican, *sotie.*
Les Faux-Monnayeurs.
Journal des Faux-Monnayeurs.
Si le Grain ne meurt.
Voyage au Congo.
Le Retour du Tchad.
Souvenirs de la Cour d'Assises.
Retour de l'U.R.S.S.
Retouches a mon Retour de l'U.R.S.S.
Corydon.
Incidences.
Divers.
Pages de journal.
Nouvelles Pages de journal.
Découvrons Henri Michaux.
Journal 1889-1939 (un volume relié).
Journal 1939-1942.
Journal 1942-1949.
La Séquestrée de Poitiers.
L'Affaire Redureau.
Théatre (Saül, le Roi Candaule, Œdipe, Perséphone, le Treizième Arbre).
Les Caves du Vatican, *farce en 3 actes et 19 tableaux d'après la sotie du même auteur.*
Interviews imaginaires.
Thésée.
Œuvres complètes (en 15 volumes).
Morceaux choisis.

Littérature engagée.
Textes réunis et présentés par Yvonne Davet.

★

Paul Claudel et André Gide
Correspondance
(1899-1926).

Francis Jammes et André Gide
Correspondance
(1893-1938).

Préface et notes de Robert Mallet.

ANDRÉ GIDE

AINSI SOIT-IL

ou

LES JEUX SONT FAITS

GALLIMARD

51e édition

Il a été tiré de l'édition originale de cet ouvrage trois mille quatre cent quarante et un exemplaires, savoir : cinquante-six exemplaires sur papier de Madagascar, dont cinquante numérotés de 1 *à* 50 *et six, hors commerce, marqués de* A *à* F*; trois cent quinze exemplaires sur hollande Van Gelder, dont trois cents numérotés de* 51 *à* 350 *et quinze, hors commerce, marqués de* G *à* U*; mille vingt exemplaires sur vélin pur fil des Papeteries Lafuma-Navarre, dont mille numérotés de* 351 *à* 1350 *et vingt, hors commerce, marqués de* a *à* t*; et deux mille cinquante exemplaires sur vélin labeur des Papeteries Navarre de Voiron, reliés d'après la maquette de Paul Bonet et portant la mention* EXEMPLAIRE SUR VÉLIN LABEUR, *dont deux mille numérotés de* 1351 *à* 3350 *et cinquante, hors commerce, numérotés de* 3351 *à* 3400.

A MA FILLE
CATHERINE JEAN LAMBERT

Au début de l'été 1950, après avoir achevé les remaniements qu'il apportait à l'adaptation scénique des « Caves du Vatican », André Gide, qui avait résolu de ne plus tenir de journal, commença de noter dans un grand cahier, « au hasard », lorsque sa fatigue n'était pas trop grande, les réflexions et les souvenirs qui lui venaient à l'esprit.

Il est émouvant de penser que les lignes finales du présent volume (dont il avait choisi lui-même le double titre) sont les toutes dernières qu'il ait écrites, quelques jours à peine avant sa mort.

Je ne sais ce que ça donnera : j'ai résolu d'écrire au hasard. Entreprise difficile : la plume (c'est un stylo) reste en retard sur la pensée. Or il importe de ne pas prévoir ce que l'on va dire. Mais il entre toujours une part de comédie là-dedans. On fait effort pour aveugler les phares. N'empêche qu'une sorte de radar intime avertisse...

Je viens de biffer quatre mots : c'est tricher. Tâcherai de ne pas recommencer... Ah ! j'en avertis aussitôt : faudrait voir à ne pas attacher, à ce que je consigne à présent, trop d'importance ; cela donnerait à Benda trop beau jeu. Si j'ai désir de me contredire, je me contredirai sans scrupule : je ne chercherai pas la « cohérence ». Mais n'affecterai pas l'incohérence non plus. Il y a, par-delà la logique, une sorte de psychologique cachée qui m'importe, ici, davantage. J'ai soin de dire : « ici », car je ne puis supporter l'illogisme que momentanément et par jeu. Certes, rien de moins hilarant qu'un illogisme et je prétends ici m'amuser. Toutefois, sans la rigueur de raisonnement de Descartes, je reconnais que rien de solide ni de durable n'aurait pu être fondé. Mais cette partie serrée se joue sur un tout autre plan; pour l'instant ce n'est pas mon affaire. Et peut-être que, à mon âge, il est permis de se laisser aller un peu. *Amen.* (Ce qui veut dire, je crois : ainsi soit-il!)

Je devais avoir à peu près quatorze ans lorsque je fis la connaissance de l'*horreur*. C'était place Saint-Sulpice; laquelle, en ce temps, était pavée. A quelques mètres de moi passe un camion. Un gosse, d'une douzaine d'années, a trouvé le moyen de se faire trimbaler à l'œil en se juchant à l'arrière du véhicule, où le cocher ne puisse le voir. Il en a son content de ce voyage, veut descendre, saute, mais reste accroché par la blouse. De sorte que, son élan rompu, le voici qui retombe, brutalement tiré en arrière, donnant du front sur le pavé. Des passants, qui se sont rendu compte de l'accident, crient, gesticulent, tentent d'arrêter le conducteur qui, lui, ne s'est rendu compte de rien et fouette son cheval au trot. De pavé en pavé le crâne du malheureux petit rebondit. En vain cherche-t-il à le protéger avec ses bras. Mais il a dû perdre connaissance presque aussitôt. Lorsque trente mètres plus loin le camion consent à s'arrêter (car quelqu'un s'est enfin jeté à la tête du cheval) le visage de l'enfant n'est plus qu'une sorte de bouillie sanglante...

(A l'âge que j'avais, je crois que cette horreur m'a fait beaucoup douter du bon Dieu. Par la suite on a beaucoup travaillé au replâtrage en moi de la divinité-providence. Et, de moi-même j'étais, tant bien que mal, parvenu à la restaurer. Au surplus ce n'est pas sur ce plan qu'elle est — ou que je la sens — le plus sujette à caution.)

Depuis ce temps nous avons été saoulés d'horreur à ce point que ce mince « fait divers » risque de faire hausser les épaules. « Not worth mentioning », auprès des atrocités de la guerre, de ce grand chavirement de toutes les valeurs qui demeuraient pour nous des raisons de vivre...

J'ai fait connaissance d'un mot qui désigne un état dont je souffre depuis quelques mois; un très beau mot : anorexie. De αν, privatif, et ορεγομαι, désirer. Il signifie absence d'appétit (« qu'il ne faut point confondre avec dégoût », dit Littré). Ce terme n'est guère employé que par les docteurs; n'importe : j'en ai besoin. Que je souffre d'anorexie, c'est trop dire : le pire c'est que je n'en souffre presque pas; mais mon inappétence physique et intellectuelle est devenue telle que parfois je ne sais plus bien ce qui me maintient encore en vie sinon l'habitude de vivre. Il me semble que je n'aurais, pour cesser d'être, qu'à m'abandonner. Dans ce que j'écris ici, qu'on n'aille point voir du désespoir : mais plutôt de la *satisfaction.*

Je pèse chaque mot que j'écris; m'en voudrais d'outrer ma pensée. Somme toute, la partie que je jouais, je l'ai gagnée. Mais j'ai cessé de m'y intéresser vraiment depuis que Em. m'a quitté. Depuis, il me semble souvent que je n'ai plus fait que semblant de vivre : elle était ma réalité. Peu importe si je ne me fais pas comprendre. Je ne me comprends pas moi-même tout à fait bien. C'est ainsi que je ne sais trop ce que j'entends par *réalité.* Pour elle, la réalité c'était un Dieu auquel je ne pouvais pas croire... J'ai cessé de chercher à comprendre quoi que ce soit.

Si ce que je viens d'écrire devait être cause de trébuchement ou de ralentissement de ferveur pour tel jeune homme qui me lirait, je déchirerais ces pages aussitôt. Mais je le prie de considérer mon âge et de s'ingénier à comprendre que ce n'est pas à quatre-vingts ans qu'on doit encore chercher à bondir — à moins que ce ne soit hors de soi. Qu'il cherche ailleurs, ce jeune homme, dans les écrits de ma jeunesse, des invitations à la joie, à cette exaltation naturelle dans laquelle j'ai longtemps vécu; elles abondent. Mais à présent je ne les pourrais réassumer sans affectation. C'est l'affectation qui me rend insupportables tant d'écrits d'aujourd'hui, et parfois même des meilleurs. L'auteur y prend un ton qui ne lui est pas naturel. C'est là ce que je voudrais éviter. La sincérité doit précéder le choix des mots et le mouvement de la phrase; elle n'a rien à voir avec le cynisme des aveux. Elle n'a pas de pire et de plus perfide ami que la complaisance. C'est celle-ci qui vient tout fausser. L'on ne saurait être contre soi-même trop sévère; mais il y faut un long et patient entraînement.

Dans cette anorexie dont je viens de parler, je ne voudrais pas non plus me complaire. Hier, à Cabris où j'étais allé, de Nice, relancer les Herbart, j'ai soudain senti que, somme toute, je pouvais encore me sentir heureux de vivre et l'ai tout aussitôt déclaré à Pierre et à Élisabeth, et à Mme Théo, mon aînée de trois ou quatre ans. Nous étions assis tous quatre sous une treille non point si épaisse qu'on ne pût voir entre les larges feuilles de la vigne des rappels d'un azur profond. Les grappes qui pendaient de-ci, de-là, se gonflaient pour la prochaine vendange. L'air était à la fois chaud et léger. J'arrivais porteur d'heureuses nouvelles; celle en particulier de la réimpression de mes *Faux-Monnayeurs*. Or, ce livre a fait partie du choix des douze meilleurs romans élus pour une nouvelle collection qui s'annonce assez importante. Pierre et Élisabeth me disaient leur satisfaction de voir enfin mise à sa place une œuvre que tous (ou presque) s'accordèrent à considérer comme manquée au moment de sa publication. Simplement, elle ne répondait pas à ce que les critiques ont décrété que devaient être les lois du genre. Mais ici, comme tant d'autres fois, j'ai gagné en appel le procès que l'on me fit alors. Il en ira de même pour *Corydon* et pour *Saül*. Quant aux *Caves du Vatican*, j'attends avec une joyeuse impatience l'épreuve de la représentation au *Français*, cet automne. C'est même une des rares curiosités qui me rattachent encore à la vie...

D'un bout à l'autre, rien de plus inattendu que cette aventure : j'avais laissé Heyd réimprimer, dans le tome VII (je crois) de mon *Théâtre complet* (fort surpris de le voir trouver de quoi remplir tant de volumes), une adaptation que j'avais faite de cette « sotie » sur la demande des « Bellettriens » de Lausanne; puis j'avais cessé d'y penser... jusqu'au jour où (c'était l'été dernier) une chaleureuse lettre de Touchard, le très aimable administrateur actuel du Théâtre-Français, vint me relancer à Juan-les-Pins où je me languissais alors. (Et vraiment je n'en menais pas large.) Jean Meyer, m'apprenait-il, venait de découvrir la pièce, en avait aussitôt donné lecture aux sociétaires du théâtre;

acceptation à l'unanimité, projet de porter cette farce sur la scène au plus vite, c'est-à-dire : dès l'automne prochain. J'acceptai joyeusement. Pourtant certains passages restaient à revoir. Je promis de m'en occuper aussitôt. Et, quelques mois plus tard, Jean Meyer (qui se proposait d'assumer le rôle de Protos) vint à Taormina où nous achevâmes ensemble de tout mettre au point. Il se montra satisfait des quelques scènes que j'avais composées entre temps, lesquelles devaient donner plus d'importance au rôle de l'héroïne.

Car, si déjà je souffrais de cette anorexie (sur laquelle je me propose de revenir), si je me sens vieux et comme déjà *hors d'usage*, je ne pense pas que mes facultés intellectuelles aient beaucoup faibli ; de sorte qu'il suffisait de cette occasion pour les remettre en marche. Et maintenant j'attends, à Nice, un appel de Touchard, fort désireux d'assister aux premiers essais, à la prise de contact de chaque acteur avec son rôle, sachant qu'il est trop tard pour intervenir lorsque les plis sont déjà formés.

Je racontais à Jean Meyer ce qui s'était passé pour *Perséphone*, lorsque, convoqué par Ida Rubinstein dans son charmant hôtel de la place des États-Unis, je me heurtai à l'entente parfaite d'Ida, de Stravinsky, de Copeau, tous trois néophytes, et de Barsacq, le metteur en scène, qui naturellement emboîtait le pas.

— Vous comprenez, disait mon ami Copeau, il s'agit de ne pas présenter au public l'action du drame elle-même. Nous devons procéder par allusions.

— Oui, s'écriait alors Stravinsky, c'est comme la messe. Et c'est là ce qui me plaît dans votre pièce. L'action même doit être sous-entendue...

— Alors j'ai imaginé, reprenait Copeau, que tout pourrait se passer dans un même lieu, grâce à un récitant qui n'apporterait des faits eux-mêmes que le récit, que le reflet. Tout dans le même lieu : un temple, ou mieux : une cathédrale...

Je me sentis perdu, car Ida et Stravinsky approuvaient à l'envi.

— Mais, cher ami, tentai-je encore d'objecter : j'ai pourtant indiqué fort précisément, pour le premier acte : un rivage au bord de la mer...

— Oui, c'est ce qu'indiquera le récitant.

— C'est merveilleux, disait Ida.

— Et le second acte, qui doit se jouer aux Enfers. Comment dans votre cathédrale...

— Cher ami, *nous avons la crypte*, reprit Copeau avec une telle assurance que, le soir même, lâchant la partie, je m'embarquai pour Syracuse où retrouver le décor antique, celui précisément que je souhaitais.

Je crois que Stravinsky me pardonna mal de ne pas avoir assisté à la première exécution de sa très belle partition; mais c'était au-dessus de mes forces. La musique, je crois, fut applaudie; quant au sujet même du drame, le public n'y comprit rien, il va sans dire, et pour cause. Si jamais l'on s'avise de reprendre ce « ballet » (et la partition de Stravinsky mérite que l'on y revienne), je prie le metteur en scène de se conformer strictement aux indications que j'ai données. Si la voix de l'actrice porte un peu plus que ne fit celle de Rubinstein (laquelle, me dit-on, ne passait pas le septième rang de l'orchestre), je crois pouvoir répondre du succès.

On s'est montré fort injuste à l'égard d'Ida Rubinstein. La ballerine chez elle a fait tort à la tragédienne, et cette immense fortune qu'elle déployait souvent en dépit de tout bon sens. Ceux qui comme moi eurent le bonheur de l'entendre dans le quatrième acte de *Phèdre* (c'était lors d'une unique représentation dite « de charité » au Théâtre Sarah-Bernhardt), peuvent témoigner qu'elle y fut incomparable. Je ne pense pas avoir jamais entendu les alexandrins dits aussi bien que par elle. Jamais les vers de Racine ne m'avaient paru plus beaux, plus pantelants, plus riches d'une ressource cachée. Et rien, ni dans le costume, ni dans les attitudes ne venait à l'encontre de cette extraordinaire et quasi surhumaine harmonie... Tout cela sombre dans le passé. Décidément, je n'aime pas le théâtre : il y faut trop concéder au public et le factice l'emporte sur l'authentique, l'adulation sur le sincère éloge. L'acteur en vient trop vite à préférer à Racine Sardou, et les applaudissements du grand nombre des incultes à ceux du petit nombre des connaisseurs. Arrêtons : j'en aurais trop à dire. Je reviens à l'anorexie.

Je suis peu sensible aux plaisirs de la table; de moins en moins; rassasié après douze bouchées; sans doute un peu difficile pour la qualité du beurre et du pain; quant à la viande, est-elle filandreuse ou mal cuite, je préfère me passer de dîner. Le meilleur vin, je l'aime autant coupé d'eau; mieux même; à la Française, selon Montaigne, au grand scandale de mes amis. Quand je suis seul du moins, les restaurants célèbres me font fuir.

J'ai dû me rendre à l'évidence : je suis de naturel avare (je dois tenir cela de mes ancêtres normands) et avec cela, je me reconnais généreux. Comprenne qui pourra... Et pourtant je crois l'explication assez simple : c'est pour moi-même; pour mes aises propres que je répugne à la dépense. Du reste, avec l'âge, j'ai quelque peu changé : la fatigue m'y invitant, je me traite avec plus d'égards. Au surplus, le sentiment de la valeur de l'argent me fait à ce point défaut qu'il m'arrive couramment d'allonger des billets de mille alors que ceux de cent suffisent. Mais c'est d'anorexie que je me proposais de parler.

Cette inappétence est intellectuelle autant que physique. J'ai grand mal à m'intéresser à ce que je lis. Au bout de vingt pages, le nouveau livre me tombe des mains; et je reviens à Virgile, qui ne m'offre plus précisément de surprise, mais du moins un constant ravissement.

C'est un état très nouveau que je peins, où je me reconnais à peine. Oui, j'avais su préserver en moi (et tout naturellement; je veux dire : sans artifice) jusqu'aux approches de ma quatre-vingtième année, une sorte de curiosité, d'allégresse presque fringante, que j'ai peinte du mieux que j'ai pu dans mes livres et qui me faisait m'élancer vers tout ce qui me paraissait digne d'amour et d'admiration, en dépit des déconvenues. L'inhibition que je ressens aujourd'hui ne vient ni du monde extérieur, ni des autres, mais de moi-même. Par sympathie je me suis longtemps maintenu en état de ferveur. Lorsque je voyage, c'est avec un compagnon jeune; je vis alors par procuration. J'épouse ses étonnements et ses joies... Je crois que je serais encore capable de certaines; c'est de moi-même que progressivement, je me désintéresse et me détache. Toutefois je reste encore extrêmement sensible au spectacle de l'adolescence. Au surplus j'ai pris garde de ne laisser point s'endormir mes désirs, écoutant en ceci les conseils de Montaigne qui se montre particulièrement sage en cette matière : il savait, et je sais aussi, que la sagesse n'est pas dans le renoncement, dans l'abstinence, et prend soin de ne pas laisser tarir trop vite cette source secrète, allant même jusqu'à s'encourager vers la volupté, si je l'entends bien... N'empêche que mon anorexie vient aussi, vient surtout, d'un retrait de sève, force est bien de le reconnaître. Même à quatre-vingts ans on n'avoue pas volontiers ces choses-là. Le roi David avait sans doute à peu près mon âge lorsqu'il conviait la toute jeune Abishag à venir réchauffer sa couche. Ce passage, ainsi que nombre d'autres de la Bible, gênerait grandement les commentateurs, si ceux-ci ne savaient y chercher, y trouver, une interprétation mystique — laquelle ne me saute pas aux yeux.

Anorexie. Il a suffi pour en triompher, momentanément du moins, de ces quelques pages que je viens d'écrire à plume abattue. Le désœuvrement m'est insupportable. Traduisant *Arden of Feversham* avec Élisabeth H. pour Jean-Louis Barrault, j'étais heureux. Plus heureux encore en composant pour Jean Meyer les quelques scènes supplémentaires des *Caves;* plus dispos que jamais. Et maintenant que j'ai résolu de laisser courir ma plume au hasard tout en pesant les mots que j'écris, je goûte à neuf des instants de parfaite félicité. Je ne me relis pas et ne chercherai que plus tard à savoir ce que vaut ce que je viens d'écrire.

C'est une expérience que je n'ai jamais encore tentée; car, à l'ordinaire, le moindre projet, je le porte en tête des mois, des années. Si j'avais à recommencer ma vie, je m'accorderais plus de licence. Mais eussé-je laissé flotter les rênes, je n'aurais peut-être rien fait qui vaille. J'ai mis très longtemps à comprendre à quel point m'astreignait mon hérédité. Autrement et plus simplement dit : j'étais beaucoup moins libre que je ne pensais l'être, extraordinairement tenu, retenu, contenu par le sentiment du *devoir*. A combien de sollicitations je regrette aujourd'hui de n'avoir pas cédé! Pour mon plus grand enrichissement sans doute; mais peut-être aussi pour la dissolution de mon caractère... C'est ce qu'il est vain de supputer.

Nombre de romanciers ou d'auteurs dramatiques ne parviennent jamais à faire rendre aux propos de leurs personnages un son authentique. Le tour de force de Corneille est d'amener l'auditeur à s'en passer. Je relisais *Horace*, hier soir, avec une sorte de stupeur. La grande erreur du tragédien serait dès lors de chercher à donner à sa déclamation l'apparence du naturel. Il ne s'en tire qu'à force de style : tout doit être transposé dans le surhumain; seules les proportions doivent y être maintenues, de sorte que tout y soit art et que rien n'y paraisse factice.

La langue de Corneille est si belle que je n'ai pas à me forcer beaucoup pour admirer; mais j'ai du mal à me convaincre du bienfait que cette plongée dans l'artificiel peut apporter à un jeune esprit. Il n'en va du reste pas de même, exceptionnellement, avec le *Cid*, où l'enthousiasme de l'adolescent peut être sincère. Mais on l'invite souvent ici à une admiration de convention que le maître doit expliquer, motiver; rien plus de spontané là-dedans; c'est l'initiation au factice, et je ne suis pas sûr que l'esprit de l'enfant ait beaucoup à y gagner. A partir de quoi l'enfant risque d'assimiler *factice* à *littérature.* Tout ceci pour dire que je ne tiens pas Corneille, toujours et partout, pour un très bon maître.

Combien me plaît le naturel du modeste curé de campagne qui, au cours d'une procession organisée dans l'espoir que prenne fin une désastreuse sécheresse (je crois qu'on appelle cela des « rogations »), étend la main et, sentant quelques gouttes d'eau, s'écrie : « Mais... c'est qu'il pleut! Quelle heureuse coïncidence! » Ame candide, comme celle du pasteur anglican qu'une apostrophe à ses ouailles, me racontait Dorothy Bussy, avait rendu célèbre : « Oui, mes frères, s'était-il écrié, il n'y a qu'un seul Dieu », puis ajoutait, se laissant emporter par l'enthousiasme : « Qu'un seul Dieu, comme il n'y a qu'un seul soleil, qu'une lune, et qu'une multitude d'étoiles. » Ce qui prend plus de saveur encore en anglais.

Je reste extrêmement friand des « bons mots » et des anecdotes; n'en déplaise à certains, qui veulent voir dans ce goût avoué une marque de l'incurable frivolité de mon esprit. Mais combien rares sont ceux qui savent rapporter ces saillies sans les déformer! Je projetais d'en former un recueil; mais dont j'eusse banni nombre de mots célèbres, de ces apophtegmes quasi historiques qui sont manifestement inventés après coup et auxquels je ne parviens pas à prêter complète créance.

Mais il est certains de ces mots, extraordinairement révélateurs, que je me reprocherais de laisser perdre. Celui-ci, de Péguy, par exemple :

Ève, ce « calme bloc », vient de paraître, à la parfaite consternation des abonnés des *Cahiers*. Les désabonnements affluent. C'est la catastrophe. Péguy arpente de long en large l'atelier de notre ami commun Paul-Albert Laurens, lequel feint de peindre. Péguy reste silencieux. Certains ont prétendu que Péguy préparait *Ève* depuis longtemps... Ce que je puis dire, c'est que ce poème gigantesque et monotone fut écrit (je n'ose dire : improvisé) pour faire pièce à un volume de vers de

Lucas de Pesloüan. Je le sais, car ce volume de vers fut soumis par Péguy lui-même à mon appréciation. Lucas de Pesloüan était un des principaux bailleurs de fonds des *Cahiers;* il demeurait un ami des plus fidèles; mais ses vers étaient effroyablement mauvais; à mon avis très net : impubliables. Péguy cherchait en vain une raison décente de les refuser. Il crut avoir trouvé une objection valable en leur opposant tel livre de vers de son cru, auquel il était naturel qu'il donnât la préférence, et qui devait soûler de poésie les abonnés des *Cahiers* pour longtemps. Mais, de ce livre, rien encore n'était écrit. Il importait aussitôt de s'y mettre. Et quand Péguy s'y mettait... Ce fut *Ève.*

N'empêche que Péguy restait inquiet; à la façon, un peu, de Mallarmé après le *Coup de dés*, qui lui faisait demander à Valéry... « Enfin, je vous le demande en ami : à votre avis, est-ce l'œuvre d'un fou ? » Et Péguy sans doute ne doutait pas de lui, de son génie, mais tout de même, ce piétinant poème ?... « J'y ai fait le portrait du bon Dieu... » oui, sans doute; c'est un sujet stagnant. Aussi bien, rien n'irritait Péguy autant que certains articles où des critiques se permettaient de mettre en parallèle *Ève* et la *Divine Comédie*. Comme si l'on pouvait établir entre ceci et cela le moindre rapport! Il allait, murmurant entre ses dents : « Dante!... Dante!... » Et soudain s'arrête, frappe un grand coup de poing sur une table; il a trouvé : « Dante!... Leur Dante, c'est un touriste. » Oserai-je ajouter que je trouve ce « mot » admirable : il est certain que, aux yeux de Péguy, dans sa randonnée à travers les enfers, Dante devait faire l'effet d'un « globe-trotter ».

Authentique également, cette exclamation de Péguy, à qui l'on reprochait son injustice à l'égard de Laudet dans *Un nouveau théologien* (l'un de ses pamphlets les meilleurs) : « Souvenez-vous de la recommandation du Christ lui-même : Ne jugez point. » Sur quoi Péguy protestait : « Mais je ne juge pas : je condamne. » Romain Rolland a parlé excellemment de Péguy. André Rousseaux, lui, parle en catholique et s'adresse à des catholiques; rien de plus propre à fausser le jugement.

Je sens — ou plutôt : je sais — que je n'en ai plus pour longtemps à vivre. Je me le répète à tout instant du jour. Souffrances, angoisses peuvent venir; mais elles m'ont été jusqu'à présent épargnées. Pourtant j'ai le cœur fatigué... (Je fume trop.) Au bout de vingt pas, je perds souffle. Je souhaite de mourir sans bruit, aussi simplement que l'on s'endort. Est-il possible? Surtout, sans rien de théâtral. Sans préavis. Sans apprêts.

Il y eut un temps, un temps très long, où des trésors n'eussent point balancé dans ma considération une belle phrase. Maintenant, j'écris n'importe comment et n'aspire qu'au naturel. Ce n'est pas, à proprement parler, un livre que j'écris ici. Sans projet précis, sans plan, j'avance à l'aventure, prêt à déchirer tout ce qui me paraîtra trop informe ou trop saugrenu.

On verra plus tard. En attendant, je n'ai garde de me relire. Du reste le saugrenu ne me déplaît pas toujours; je le tiens pour révélateur, souvent, d'élans divers que l'on s'occupe, à l'ordinaire, à essayer de mettre au pas. Mais il faut que ce saugrenu soit presque inconscient; qu'il vous échappe. J'avais écrit ainsi, l'an avant-dernier, quelques pages dont j'étais, je l'avoue, particulièrement satisfait. J'avais appelé cela : *l'Arbitraire*. Oui, vraiment, j'avais laissé ma plume s'ébattre au hasard. Mes compagnons de route (Richard Heyd, mon gendre et ma fille) étaient partis de la frontière suisse-italienne pour un petit tour à Venise. Ils m'avaient laissé seul à Ponte-Tresa. Leur absence devait durer trois jours. Pas la moindre distraction. Il pleuvait. Alors, je m'étais assis à la table d'un salon banal, devant une feuille de papier blanc, résolu à écrire n'importe quoi, pourvu que cela n'ait aucun sens. Le résultat me paraît assez réussi.

Que de fois j'ai pu souhaiter écrire un livre qui ne tînt aucun compte de mon passé, que l'on pût chercher vainement à rattacher à ce que l'on appelle pompeusement : mon œuvre. Rien à faire : je retombe dans des thèmes déjà ressassés, dont il ne me paraît pas que je puisse encore tirer parti. Je me sens beaucoup plus enclin au rire, que je n'étais au temps de ma jeunesse. Je prenais au sérieux maints « problèmes » qui me font sourire ou rire aujourd'hui. Je mets à part les problèmes politiques, économiques ou sociaux qui concernent autrui d'une manière souvent tragique, mais je songe à ceux que j'imaginais, souvent de manière toute gratuite, entre l'homme et la divinité. Il me paraît qu'il n'y a là, le plus souvent, qu'invention pure et que le mieux est de passer outre et sans trop s'en préoccuper. D'où le grave reproche que l'on m'a fait de me « déspiritualiser ». Certains, qui me voulaient du bien, ont prétendu que, de mes soucis de naguère, quelque inquiétude secrète me tourmentait encore, que ma sérénité n'était que feinte, que ni le Diable, ni Dieu n'y perdaient rien; que, du reste, délesté de mon inquiétude, je me dessaisissais de toute raison d'être, de toute valeur. « Peu nous importe dès lors ce cadavre », s'écriait Mauriac. Il ajoutait gentiment que, si j'étais parfaitement sincère, je reconnaîtrais que... C'est patauger dans l'imaginaire. Je crois m'être expliqué suffisamment là-dessus.

Au demeurant, il y aurait feintise à me peindre plus frivole que je ne suis. C'est moi-même que j'ai grand mal à prendre au sérieux; non pas les autres. Donner sa vie pour autrui?... Oui, peut-être. Pour une cause?... Nous avons trop souvent été joués.

J'ai grand souci de probité. Dès qu'il ne s'agit plus de fiction, je m'attache au vrai. C'est ainsi que, dans mes reportages sur l'A. E. F., je n'ai rien relaté que de scrupuleusement exact. Et de même dans le récit de mes rapports avec Wilde. Ces derniers ont pu gêner certains, qui se sentaient désobligés par mes assertions. Un pamphlet a paru en Angleterre, prétendant réduire à néant mes récits, sous le titre : *Les infâmes Mensonges d'André Gide*. Ce qui a permis par la suite à certains biographes de ne tenir aucun compte de mon témoignage. Je proteste que je n'y ai rien, absolument rien inventé et que tout ce que je raconte à ce sujet est d'une totale et parfaite exactitude. Mais comment ne pas admettre d'avance que Wilde ne se confiait intimement qu'à ceux qui partageaient ses goûts? Avec les autres, il lui fallait feindre et ruser. Chez nombre de ses biographes, une part de sa vie reste omise; la plus importante peut-être. Lui accorder créance équivaut presque à un aveu personnel. Si dévoués qu'aient pu être tels de ses amis, ce n'est qu'après qu'ils avaient le dos tourné que Wilde commençait à vivre.

Le temps m'a souvent apporté son concours et, dans maintes contestes, l'opposant s'est retiré sans qu'il me fût besoin de marquer sa déconfiture. C'est ce qui a eu lieu pour Maurras, pour Massis, pour Béraud, pour Montfort. Il en ira de même sans doute pour Charles Du Bos, qui serait aujourd'hui fort gêné, je m'en persuade, de nombre de ses assertions. Il était trop foncièrement honnête pour ne point reconnaître qu'il avait fait fausse route; et même, dans certains entretiens, à la suite de la publication de son livre, il ne me cachait pas ses regrets. Certain jour, avant d'achever la rédaction de ce livre, il me demanda de venir le retrouver, île Saint-Louis. Il ne se faisait pas sur la pédérastie une idée bien précise, avait besoin d'explications. L'entretien fut atrocement pénible. Ce n'est pas seulement à l'uranisme que Charlie ne comprenait rien; c'est à la vie. Tout était ou devenait pour lui abstrait, intellectuel. On ne peut imaginer pareille absence de contact avec les choses, avec le monde extérieur, avec la réalité. Je retrouvais celui qui, ne sachant emplir lui-même ses stylos, portait sur lui tout un « semainier » qu'il allait, une fois par semaine, regarnir chez Smith; celui qui appelait une secrétaire pour ouvrir ou fermer une fenêtre; qui, à la Bastide, chez Élisabeth Van Rysselberghe, avec laquelle il travaillait à la traduction des lettres de

Keats, s'inquiétait de savoir comment on éteint une lampe à pétrole. « Je ne saurai jamais. Donnez-moi, de préférence, une bougie »; et qui lui demandait avec le plus grand sérieux où les colimaçons ont leurs cornes (ce dont il était question dans le texte anglais). « J'ai besoin de savoir : est-ce sur leur derrière ou par devant? — Comment, Charlie! Vous n'avez donc jamais vu d'escargots? — Peut-être; mais je ne les ai jamais regardés. » — Oui; c'était bien cela. Charlie ne regardait rien; ne prenait connaissance de rien qu'avec les regards de l'esprit. Il avait ainsi d'incompréhensibles trous. Mais comme il se montrait en ce temps d'une humeur charmante et enjouée, c'est avec nous, et plus fort que nous, qu'il riait ensuite de sa bévue. Il me semblait qu'en ce temps notre entente était parfaite. La conversion est venue tout abîmer.

Je lisais hier, dans la très judicieuse étude de Renan sur Lamennais (1857) : « Rien de plus fatigant que la polémique catholique, l'apologiste se donnant une foule d'avantages que le critique désintéressé doit se refuser. » Mieux vaut dès lors se dérober à la discussion. Nombre de mes amis, et des meilleurs, se sont convertis. J'ai gardé pour eux une affection parfois très vive; mais cessé de causer avec eux. Pourquoi diable Charlie a-t-il appelé son livre : *Dialogue avec André Gide?* Les arguments qu'il m'y assène, c'est au nom d'une Vérité transcendante qui me réduit d'avance au néant. Pourquoi continuer, en dépit de ce réquisitoire, à protester qu'il m'aime beaucoup? Un peu d'équité laïque suppléerait avantageusement à ce débordement d'affection dans ses propos et dans ses lettres. Le surprenant, c'est que, durant le long cours de notre commerce, il ne me laissait connaître que celle-ci. Restrictions et protestations ne me furent révélées, tout brusquement, que par son livre. Désormais, plus rien ne peut plus m'étonner d'un dévôt.

Les rapports de l'homme avec Dieu

m'ont de tout temps paru beaucoup plus importants et intéressants que les rapports des hommes entre eux. Il était du reste assez naturel que, né dans une situation aisée, je n'aie pas eu à me préoccuper beaucoup de ceux-ci. Si mes parents avaient eu à gagner péniblement leur vie, il n'en eût sans doute pas été de même. Mon hérédité, puis ma formation protestante inclinaient mon esprit presque exclusivement vers les problèmes moraux. En ces premiers temps, je n'avais pas encore compris que les devoirs envers Dieu et les devoirs envers soi puissent être les mêmes. A présent, j'ai grande tendance à les confondre trop complètement. Je demeure exigeant; beaucoup plus envers moi-même qu'envers autrui; mais ne crois plus que ce soit quelque autre que moi, quelque puissance supérieure à moi, et indépendante de moi, qui exige. A vrai dire, je ne tiens plus de comptes, comme autrefois. Je ne fais plus, le soir, avant de tâcher de m'endormir, ce que le protestant appelle : des examens de conscience; je fais comme si j'étais reçu.

Et qu'on n'aille pas voir là de l'orgueil. Il m'arrive parfois, souvent, d'être fort peu satisfait de moi-même : c'est lorsque j'ai laissé quelque sentiment mesquin incliner ma conduite. On a parlé de ma coquetterie : le mot est avilissant à l'excès; mais je ne sais comment désigner autrement certain souci de ne point tolérer en moi, ou que très fugitivement, les mouvements qui enlaidissent. Je ne compte nullement ceux d'indignation, de révolte, de haine même, parmi ceux-ci. Bien plus, je ne cherche nullement à détourner les yeux de ce qui peut les provoquer. Au contraire, j'estime qu'il est bon de ne jamais perdre de vue les multiples motifs que nous fournit, hélas! le monde d'aujourd'hui, d'une insatisfaction urgente. Je veux seulement dire que cette insatisfaction, je ne tolère point qu'elle altère certaine secrète et profonde sérénité.

Mais quant à me déclarer satisfait de l'état de choses actuel... ah! non; c'est me demander trop. Où que mes regards se portent, je ne rencontre que des passe-droits et de l'injustice; ou cette sorte d'acceptation complaisante de l'iniquité lorsque l'on n'a point personnellement à en souffrir... Je voudrais bien n'écrire point à ce sujet de belles phrases ronflantes qui me feraient sourire ou rougir dans quelques mois. Avec quel enthousiasme je lisais les *Paroles d'un Croyant* de Lamennais, à dix-huit ans! L'enthousiasme même avec lequel Lamennais les avait écrites, et avec quelle conviction authentique! J'ai récemment rouvert ce livre : effondrement... Dans le carnet où j'avais recommencé d'écrire, un peu comme je fais ici, au hasard, et que j'ai perdu à Rapallo, j'avais raconté le lynchage affreux d'un très jeune parachutiste allemand au début de la guerre. Cela se passait dans un village où nous avions passé le lendemain. Les paysans indignés l'avaient rossé, roué de coups de pelles et de râteaux jusqu'à ce que mort s'ensuive, sans avoir pu obtenir de ce jeune convaincu qu'un « Heil Hitler! » buté. Ces martyrs, pourtant authentiques, ces témoins de mystiques divergentes, sont assurément fort gênants. On se demande à la porte de quel autre paradis quel autre saint Pierre les attend ?... Et quel autre Pascal osera écrire : « Je crois volontiers ceux qui se font tuer pour... », etc. (ou je ne sais plus quoi d'approchant).

Je me suis surpris hier en train de me demander le plus sérieusement du monde si vraiment j'étais encore vivant. Le monde extérieur était là et je le percevais à merveille; mais était-ce bien moi qui le percevais ? Lors de mon initiation à la métaphysique allemande, j'étais resté longtemps tout émerveillé devant la phrase de Schopenhauer : « Je suis donc le support du monde... » Il m'en souvient fort bien, après plus d'un demi-siècle [1] : rien n'existait qu'en fonction de moi. C'était grisant. A présent, la question se retournait : Tout existait et continuait d'être sans mon aide. Le monde n'avait aucun besoin de moi.

1. J'avais dix-huit ans.

Et durant un assez long temps (cela dura, je pense, un quart d'heure) je *m'absentai;* il me sembla que je n'étais plus là; et ma disparition passait inaperçue. Puis je compris que c'était pourtant moi qui m'en rendais compte et qui me disais : je ne suis plus là. Je revins occuper ma place, mais avec une sorte de stupeur.

Je n'ai plus grande curiosité de ce que peut m'apporter encore la vie. J'ai plus ou moins bien dit ce que je pensais que j'avais à dire et je crains de me répéter. Or, le désœuvrement m'est à charge. Ce qui me retiendrait pourtant de me tuer (encore que je ne considère nullement le suicide comme répréhensible), c'est que certains chercheraient à voir dans cet acte une sorte d'aveu de faillite, l'aboutissement obligatoire de mon erreur. D'autres iraient penser que je me dérobe à la Grâce. Il serait difficile de faire admettre que, simplement, je suis rassasié de jours et ne sais plus à quoi employer ce peu de temps qu'il me reste à vivre. Anorexie. Face hideusement inexpressive de l'Ennui.

Me rebute surtout le caractère concentrique de ce que je pourrais encore entreprendre... Ah! qu'il est difficile de bien vieillir! On voudrait obliger autrui : on se sent devenir à charge. Je ne puis plus me passer de l'aide (j'allais dire : du secours) d'autrui. Où me réfugier cet hiver? Passé les répétitions et la représentation des *Caves* (dont il faut reconnaître que j'attends un vif plaisir), je ne vois pas plus loin. L'an passé, ce travail quotidien avec Élisabeth, cette traduction d'*Arden of Feversham* que m'avait demandée J.-L. Barrault m'était d'une merveilleuse ressource. Je ne sens encore aucun affaiblissement de mes facultés intellectuelles; mais les mettre au profit de quoi? Les exemples abondent des vieillesses déshonorantes. Heredia parlait de quelques-unes. Je ne sais trop s'il fallait ajouter foi à ce qu'il disait de Musset. A l'en croire (mais je ne pense pas qu'il inventât), c'est dans l'absinthe qu'il cherchait chaque soir une sorte d'oubli stupide. Il restait attablé, solitaire, à la terrasse du café de la Régence (? — place du Théâtre-Français) jusqu'à l'heure de la fermeture du café. Les garçons rentraient tables et chaises. Pour obtenir qu'il se levât, il fallait prendre son verre encore à moitié plein et le porter sur le trottoir. Il suivait.

Lamartine (d'après Heredia), lui, sombrait dans la gourmandise. J'entends encore le récit qu'il faisait (Heredia), de certaine délégation des jeunes filles de Saint-Point (?) venues pour lui apporter leurs hommages. C'était une sorte d'ambassade inventée pour distraire et ranimer un peu le vieux poète, à la manière de ces cérémonies truquées dans les dernières années du règne de Louis XIV pour amuser et flatter un peu l'orgueil exigeant du vieux roi. Donc, on vient annoncer à Lamartine, certain matin, un cortège de jouvencelles. Lamartine n'était pas prêt à les recevoir. En hâte, on le sangle dans son corset; on l'attife; il descend l'escalier, se dirige vers le perron où les compliments et les gerbes de fleurs l'attendent. Mais le malheur voulut que la porte de la salle à manger, qui donnait sur le vestibule, fût ouverte, où Lamartine put voir les apprêts du déjeuner : en particulier, au milieu de la table un grand plat de crème au chocolat, vers lequel — c'est plus fort que lui — Lamartine se précipite; et, avant qu'on ait pu le retenir, il s'en fourre plein le plastron, la cravate, la redingote... Il fallut avertir les jeunes filles : « Monsieur le Comte est un peu souffrant. Il regrette vivement. Il ne pourra vous recevoir. » Qu'y a-t-il de vrai là-dedans? Je ne sais. En tout cas, si quelqu'un invente, ce n'est pas moi.

Mais je puis garantir l'authenticité de ceci, que j'ai vu de mes propres yeux :

Durant le séjour prolongé que nous fîmes à Rome, peu après notre mariage, ma femme et moi prenions d'ordinaire nos repas au petit restaurant Ranieri (?), près de la place d'Espagne, celui même, je crois, dont parlait déjà Stendhal. Nous avions loué un très médiocre appartement de trois pièces, place Barberini. Certain jour, nous désertâmes le Ranieri pour un fort bon restaurant du Corso, près de la place Colonna. Nous n'étions pas plus tôt assis que nous vîmes entrer un majestueux vieillard dont le visage admirable était comme auréolé de cheveux blancs. Un peu court peut-être; mais tout son être respirait la noblesse, l'intelligence, la sérénité. Il semblait ne voir personne; tous les garçons du restaurant s'inclinaient à son passage. Le maître d'hôtel s'empressa devant la table où l'Olympien s'était assis; prit la commande du repas; mais à deux reprises, rappelé, vint respectueusement écouter je ne sais quelles recommandations. Évidemment, l'hôte était quelqu'un d'illustre. Nous ne le quittions guère des yeux et pûmes remarquer, aussitôt qu'il eut en main la carte des plats, une extraordinaire altération des traits de ce beau visage. Pour faire sa commande, il était redevenu simple mortel. Puis, immobile et comme figé, sans marquer du reste aucune impatience; mais son facies était devenu totalement inexpressif. Il ne se ranima que lorsqu'on déposa devant lui le plat qu'il avait commandé et se départit aussitôt de sa noblesse, de sa dignité, de tout ce qui marquait sa supériorité sur le reste des hommes. On eût cru que Circé l'avait touché de sa baguette magique. Il ne présentait plus rien, je ne dis même pas de noble, mais simplement d'humain. Il se pencha sur son assiette et l'on ne peut dire qu'il commença de manger : il bâfra; comme un goinfre, comme un pourceau. C'était Carducci.

J'avais, en ce temps, pour ses vers et pour sa prose une admiration des plus vives; peu m'importait que la gloire de d'Annunzio fît pâlir la sienne (de même, et plus encore, que celle de Pascoli). D'autant plus pénible me parut le spectacle de cette déchéance. Si grand homme que l'on soit d'abord, ah! mieux vaut mille fois ne plus être que de tolérer cet abandon, ce reniement de soi, pensai-je. Et vous pouvez bien qualifier de coquetterie le souci de ne point laisser de soi une trop désobligeante image. Il ne s'agit pas de cacher au public ses verrues, mais bien, autant que possible, d'empêcher un enlaidissement moral; non point de se farder pour paraître beau, mais de l'être... Encore faut-il que le corps s'y prête...

Le vieux père Espinas était quelqu'un que j'aimais beaucoup. Il s'était épris pour moi d'une affection singulière, je n'ai jamais très bien compris pourquoi. Auteur d'un livre remarquable (rechercher le titre exact) sur le sentiment social chez certains insectes, son attention s'était ensuite portée sur Platon et sur la sagesse grecque. Il écoutait aussi bien qu'il parlait, ce qui est extrêmement rare, et je restais souvent fort surpris de voir sa pensée précéder la mienne sur certains points où l'on m'accorde à l'ordinaire peu de crédit. Une attaque eut soudain raison de cette belle intelligence. Du jour au lendemain, ce ne fut plus qu'un misérable corps infirme et douloureux, qui devait recourir sans cesse aux soins et aux prévenances que son épouse très dévouée lui prodiguait. On s'attendait à le voir bientôt céder la place; on le souhaitait, car ce n'était plus qu'une loque exigeante et Mme Espinas n'en pouvait plus. Ajoutons que le vieux couple était dans une situation de fortune fort précaire ; au surplus, l'un ni l'autre ne voulait entendre parler d'une infirmière : Mme Espinas devait suffire à tout. Or, à la parfaite stupeur et consternation des enfants, des amis, ce ne fut pas lui, ce fut elle qui mourut. Les facultés du père Espinas étaient à ce point affaiblies qu'il ne se rendit pas compte de son deuil : il comprit seulement que quelqu'un, dans leur petit appartement, venait de mourir et pensa confusément que ce quelqu'un ne pouvait être que lui.

Je tiens de ma tante Charles Gide le récit de la cérémonie funèbre qui rassembla, le jour prévu pour l'inhumation, autour du cercueil, les intimes qui se proposaient d'accompagner au cimetière le convoi. On avait relégué le père Espinas, bien incapable de participer à rien, dans une petite pièce, sous surveillance spéciale. Et, avec un minimum de faste, le rituel du culte protestant se déroulait, lorsque soudain, couvrant le murmure discret des prières, on entendit, de la pièce voisine, la voix tonitruante du père Espinas, devenu furieux, hurler : « Mort ou vivant, il faut pourtant bien que je mange. » Vite on lui porta de quoi l'apaiser, tout en feignant de n'avoir rien entendu.

Si j'avais à recommencer ma vie et qu'il me fût loisible d'en disposer à plaisance, à la manière dont je vois les choses aujourd'hui, j'y donnerais sans doute plus de temps au travail (j'entends : à celui de mon instruction), mais sûrement plus de temps à l'aventure. Je me console mal de ne pas savoir le grec, de ne point parler couramment l'anglais et l'allemand et surtout d'avoir été si précautionneux — ce qui s'accorde mal avec mon instinctif mépris du confort. Oserai-je dire, à ma décharge, que ma femme encourageait fort peu mes hardiesses, qui tout aussitôt lui paraissaient des témérités ? Elle prévoyait des dangers partout. Je ne comprends pas encore, aujourd'hui, comment et où je pris parfois la force de passer outre en dépit de tout mon amour et de ma crainte de la blesser. Eussé-je trop écouté cette crainte, je compris à temps que c'était la faillite. Elle marquait cependant le plus grand soin de ne point couper mes élans et de me faire entendre sans cesse qu'elle souhaitait n'incliner en rien ma volonté ni ma pensée. Mais comment n'eussé-je pas senti, à travers ses silences mêmes, son constant désir de me voir revenir en arrière ? Le problème sexuel vint s'ajouter à tout cela ; mais je crois qu'il ne faisait point partie essentielle du débat. Toutefois, comme il ne pouvait trouver solution satisfaisante dans une simple soumission, je crois qu'il m'encouragea sur la route de la rébellion beaucoup plus vite et beaucoup plus avant que je n'eusse été de moi-même. Ah ! ne revenons pas encore là-dessus.

Rien ne sert de récriminer et de songer trop à tout ce que l'on aurait pu faire. S'il m'arrive de me fâcher, c'est contre moi-même, et c'est la raison qui me fait dire aux jeunes et leur répéter de se dire sans cesse et de se persuader que le plus souvent : il ne tient qu'à eux. Il ne tenait qu'à moi de voyager en Chine; qu'à moi de ne point retourner constamment aux mêmes endroits, de m'envelopper de paysages et de circonstances qui n'avaient plus rien à m'apprendre, par paresse, par veulerie... C'est encore un conseil que je donne aux jeunes, avec d'autant plus d'assurance que je ne l'ai pas toujours suivi : sachez tenir pour préférable ce qui vous coûte le plus d'efforts... Toutefois, je reconnais que j'ai beaucoup exigé de moi-même; et peu de choses me désobligent autant, dans la vieillesse, que de devoir me relâcher sur ce terrain, d'avoir à tenir compte de mes forces et de constater sans cesse que celles-ci sont déplorablement limitées; de sentir, de devoir admettre que je ne suis plus bon à grand'chose.

J'ai écrit, je ne sais plus trop où, que ne m'était nullement indifférent le sort du monde après que je ne serai plus là pour en pâtir ou m'en réjouir. Il est vrai, et je me suis souvent montré (ou, plus précisément : j'ai affecté d'être) plus optimiste que je n'étais en réalité. Certains jours, si je me laissais aller, ce serait pour hurler de désespoir. Mais il suffit que, de-ci, de-là, quelques lueurs encore apparaissent de vertu pure, de dévouement, de noblesse et de dignité, pour repousser dans le néant l'amoncellement décourageant de la sottise, de la goinfrerie, de l'abjection. Les étincelles de vertu m'en apparaissent d'autant plus éblouissantes. Et je consens que, sans celles-ci, notre triste monde ne présenterait qu'un incohérent tissu d'absurdités. Mais elles sont là tout de même, et c'est sur elles que je veux compter.

Il n'est que trop facile de faire à ce sujet de belles phrases. Et pour peu que vous les saupoudriez de mysticisme, aussitôt se rassemble autour de vous un chœur angélique, animé d'intentions excellentes et qui citera d'édifiants versets de l'Évangile, lesquels ne permettront plus aucun doute sur l'opportunité de votre conversion. Un certain nombre de mes anciens amis, et des meilleurs, s'est (ou se sont) converti(s). Sans avoir précisément rompu avec eux, je me suis aussitôt persuadé que la conversation avec eux était devenue impossible. Tout sujet qui me tenait à cœur devait être précautionneusement évité. Il ne me paraissait pas que leur conversion amendât profondément leur caractère; tout au contraire, leurs pires défauts puisaient un encouragement à être mis désormais au service de Dieu. Copeau, Jammes, Claudel, Ghéon (je ne cite que ceux qui se sont fait connaître) étayaient même dès lors leur orgueil d'une sorte d'infatuation qui faisait vite de me les rendre insupportables. Soutenus par l'Église, ils ne pouvaient plus se tromper. L'orgueilleux, c'était moi, qui ne consentais pas à me soumettre, à subordonner ma pensée propre à ce qui avait été reconnu pour véritable..., etc. J'ai, par la suite, retrouvé la même infatuation collective chez les communistes, encore que sur un plan tout différent. Les uns et les autres m'ont instruit, et fait comprendre par l'absurde la valeur de l'individu.

Je sais bien que c'est à partir de là que le problème commence ; car *Vae soli*... On m'accusa de vouloir me distinguer... J'ai l'esprit le moins fait qui soit pour la controverse. Au lieu de m'opposer à l'adversaire, j'use mes forces à le comprendre. Il me semble toujours que, entre gens de bonne foi et également soucieux du bien public, on doit parvenir à s'entendre. Mais ils ne sont pas de bonne foi, force est, hélas, de s'en convaincre. — Parlez-vous ici des communistes ou des catholiques ? — Je ne songeais d'abord qu'à ces derniers ; puis me suis laissé entraîner ; car il en va de même pour les uns aussi bien, ou aussi mal, que pour les autres, dès l'instant que les uns et les autres acceptent que : *la fin justifie les moyens*. C'est de cette spécieuse doctrine que sont nées, que naissent encore, les plus abominables erreurs. La mauvaise foi consiste à feindre de jouer « cartes sur table », tout en gardant dans sa manche les atouts décisifs. Que sert ici de discuter? On y perd son encre, son temps, sa patience. Il n'est que de passer outre et de faire comme si de rien n'était. J'ai confiance pourtant que la publication de ma correspondance avec Jammes, avec Claudel, avec Ch. Du Bos, et plus encore du *Journal* de celui-ci, apporte un témoignage suffisant de... ce qu'il plaira à chacun d'y voir. En tout cas, je sais ce que, moi, je vois aujourd'hui dans ces textes, lorsqu'il m'arrive de les relire.

Combien me plaisait Paul Laurens, compagnon fraternel, converti lui aussi et des plus fervents, familier de Péguy, mais souvent consterné par l'intransigeance et l'outrance butée de certaines attaques : « Mais non! mais non, disait-il; je connais bien André Gide : je vous assure qu'avec lui, ça n'est pas la même chose. » Lui, du moins, ne fit jamais le moindre effort pour me « convertir ».

On prête à Richepin un mot remarquable : « Nous ressemblons tous à notre buste. » Que cela est bien dit! Combien rare est l'artiste qui, dans la vie, ne se préoccupe nullement du plus ou moins d'effet qu'il pourra produire! Si grand écrivain que fût Suarès, il avait cette petitesse de tenir beaucoup à ne se laisser voir qu'à son avantage. Il fallait l'avertir avant de sonner à sa porte, lui laisser le temps de disposer l'éclairage, de se rassembler. Quel charme, ensuite, lorsqu'il se laissait aller, qu'il consentait à s'oublier! il n'y avait pas de causeur plus alerte, plus pétulant, plus profond. Mais d'une susceptibilité telle, que le moindre mot (il rapportait tout à lui) où il pouvait flairer quelque intention douteuse le faisait se replier. Il supposait volontiers une ligue, des cabales. En dépit de tous les efforts de Rivière pour le rassurer, le convaincre que la *N. R. F.* lui était tout acquise et que, de tous les collaborateurs de cette revue, il n'en était pas un qui ne nourrît à son égard les sentiments les plus cordiaux et souvent l'admiration la plus vive, ne s'était-il pas mis dans la tête que je voulais y régner en maître et jalousais la considération qu'on lui marchandait! Ce n'est que dans les derniers temps de sa vie qu'il finit par se laisser convaincre que non seulement je ne lui gardais rigueur d'aucune de ses sautes d'humeur, mais que je le tenais en haute estime et souffrais de le voir si méconnu. Car il est de fait que « la critique » en général et que les jeunes gens ne cherchaient guère à le sortir de cet isolement farouche où lui-même, par excès d'orgueil, prenait un douloureux plaisir à s'enfoncer. Oui, c'est d'une *orgueillite* qu'il souffrait (ce mot, que j'inventais pour lui, convenait à merveille); d'une orgueillite invétérée. On ignorait les admirables portraits qu'il avait tracés naguère de Stendhal, du Tintoret, de Joinville, de tant d'autres; mais il n'avait de cesse qu'il ne revînt à lui, au Condottiere qu'il se voulait, à Caërdal, à Suarès, ne supportant pas qu'on le perdît de vue. Un ami dévoué, Pierre de Massot, sensiblement plus jeune et qui nous connaissait également l'un et l'autre, avec un tact parfait, un dévouement constant, une compréhension qui procédait autant du cœur que de la pensée, finit par balayer les monstres que Suarès nourrissait à plaisir : il consentait à me revoir, à me recevoir... Telle lettre que Massot me montra marquait même un désir de renouer avec moi des relations qu'il avait fâcheusement interrompues. Ce fut mon tour de redouter cette rencontre; il me parut que Suarès, même assagi, ne pourrait oublier (j'allais dire : ne pourrait me pardonner) certain article haineux et d'une effroyable injustice, qu'il n'avait pu se retenir d'écrire récemment contre Chopin, sitôt après la publication de mes *Notes* dans la *Revue musicale*. Est-il besoin de dire que nul n'était mieux qualifié, pour apprécier Chopin, que Suarès, et pour parler de lui avec une autorité magistrale ? Mais il ne l'avait pas *découvert*. Il apparaissait même dans ces quelques pages véhémentes et insensées qu'il venait de livrer au public, qu'il ne connaissait de lui que juste ce qu'il fallait pour fournir à sa violence un aliment de mauvais aloi. Nul doute qu'il n'eût reconnu son erreur ainsi qu'il avait fait à l'égard de Dostoïevsky, dont il m'avait avoué qu'il n'avait encore lu que *Crime et Châtiment* et les *Souvenirs de la Maison des Morts*, lorsque je lui en parlai pour la première fois. (J'ai raconté cela je ne sais plus où.) Mais il était trop tard : l'article avait paru, d'une monstrueuse injustice, où Suarès s'était enferré. Quel dommage!

Avant de quitter Suarès, pourquoi ne point consigner le souvenir de cette interminable soirée que nous passâmes, l'un à côté de l'autre; où, tout le temps, Suarès eut la constance de garder sa main contre son visage pour le protéger de mes regards. C'était au cirque Médrano. Une fois par an, j'avais coutume d'y emmener Mme Allégret avec ses six enfants. Nous nous installions au premier rang des fauteuils, tout contre la piste. J'étais le dernier de la file. A ma droite, la place restait vide jusqu'au moment où vint s'y installer, à notre stupeur réciproque, Suarès. Ah! quelle belle occasion de se reconnaître! Eh quoi! vous aussi, vous aimez le cirque! Ah! pas tant que moi... Mais non! Cette main paravent, formant un mur mystique, opaque. Et même après l'entr'acte, chacun de nous reprit sa place. Eût-il consenti à regarder de mon côté, j'atteste qu'il n'eût rencontré que sourire, et des plus bienveillants; ou peut-être un franc éclat de rire. Tout cela me paraissait bouffon. Décidément, je ne prends au sérieux que les modestes et je ne peux frayer authentiquement qu'avec eux. Cothurnes, hauts talons, m'indisposent. J'ai souci de demeurer de plain-pied.

C'est à une autre soirée (ou matinée) de Médrano, que je vis un avaleur de poissons rouges et de grenouilles. Spectacle on ne peut plus pénible; et qui le paraissait d'autant plus que le malheureux avaleur paraissait moins fait pour cette exhibition répugnante. Il n'avait rien d'un bateleur. On eût dit un « intellectuel » réduit à cette extrémité par la misère. Un beau visage tourmenté, douloureux, comme celui d'Artaud... Le voici qui fait le tour de la piste, dégurgitant tour à tour grenouilles ou poissons, tout l'aquarium qu'il avait avalé. Je suis assis, selon l'usage, avec la famille Allégret, au premier rang. A ma surprise, lorsqu'il arrive près de moi, l'avaleur, après avoir vomi quelque dernière grenouille, s'arrête un instant, se penche et *me* dit, sur un ton comme confidentiel, où j'entends l'écho d'une sorte de détresse : « Ce qu'on arrive à faire, tout de même ! ! ! »

Ai-je imaginé tout cela ? Non point certes la phrase elle-même (je l'entends encore), mais la détresse qui s'y cachait ? Il se peut; nous pénétrons si mal, si peu avant, dans le for intérieur d'autrui. Il y a ce que l'on voit, ce que l'on entend. Tout l'intime demeure un mystère. C'est aussi pourquoi, dans mes *Faux-Monnayeurs*, je me suis quasi méthodiquement interdit les formules courantes auxquelles recourent les romanciers : « Il pensa que... » « Il ne pouvait croire que... » « Il se dit que... » Qu'est-ce que vous en savez, cher confrère ?

Vous voulez nous en faire accroire, et personne ne protestera. Même, vous pourrez vous offrir le luxe de paraître extraordinairement perspicace, si vous ajoutez quelque réflexion très différente de celle que l'on était en droit d'attendre et que proposait le simple bon sens. Exemple : « Il disait cela sans le penser précisément » ou : « Au fond de lui-même il ne doutait pas que... »

C'est aussi pour quoi j'ai si souvent adopté la forme de narration qui rendît impossibles ces subterfuges et mis à la première personne la plupart de mes *récits*. Certes dans le « *journal* » (d'Alissa, du pasteur de ma *Symphonie pastorale*, de l'oncle de mes *Faux-Monnayeurs*, etc.), la sincérité peut également être mise en doute; mais le jeu reste plus subtil et l'on invite le lecteur à y participer. Il est « de mèche » avec l'auteur. La forme dramatique n'offre pas de pareils dangers. Drame ou roman, le mieux est de passer outre. Un vrai créateur ne doit même pas y penser; ce qui permet des trouvailles, aussi révélatrices que le cri de Balthazar Claës à sa femme (que Valéry admirait tant) : « Les saints t'ont préservée [1] », où s'échappe l'aveu inconscient et involontaire d'une survivance des croyances de son enfance, en dépit de l'apport agnostique de toute sa carrière d'athée. Mais on peut regretter que de pareils éclairs chez Balzac, soient très rares. (Avec Stendhal, on s'entend à demi-mot.) Rien de plus attendu, de plus conséquent, que les propos des personnages de Balzac : ils disent, le plus souvent, exactement ce que l'on sait d'avance qu'ils doivent dire. Ils me font penser à cette infirmière-poule que représente une caricature américaine : elle entr'ouvre, cette poule, la porte de la clinique d'accouchement pour annoncer au coq (celui-ci, cigarette au bec, les moignons d'aile croisés sur le dos, à la Napoléon, arpente impatiemment la salle d'attente au sol déjà jonché de mégots) comme mystérieusement la surprenante nouvelle : « C'est

1. Vérifier la citation.

un œuf. » Cette image a fait ma joie. Tant pis si vous ne voyez pas le rapport [1]...

Rien de moins transmissible que le rire, ou du moins ce qui le provoque. Il est contagieux, comme le bâillement; mais ce n'est pas du tout la même chose. Toutefois, je reste très sensible au comique de certaines de ces histoires que les Américains appellent, je crois, des « dog-stories » et dont je ne me retiens pas de donner quelques exemples : dans un café, restent affrontés devant un échiquier un homme et un chien. Celui-ci, du bout de sa patte, pousse une pièce. Un quidam s'approche, émerveillé : « Mais c'est qu'il joue vraiment, votre chien! Il est d'une intelligence... » Le partenaire l'interrompt : « Non, tout de même, n'exagérez pas : il vient de perdre les deux dernières. »

Cela vous amuse? Alors, écoutez encore

1. Je n'ai pas vu l'image. Un ami, qui l'a vue, me dit que je fais erreur : il ne s'agit pas d'une clinique de gallinacés, mais bien d'une clinique humaine; ce n'est pas une poule, mais un infirmier qui vient annoncer au coq la nouvelle. La drôlerie subsiste, mais change de caractère.

celle-ci : la scène se passe au cinéma. Un spectateur se penche vers une dame assise au rang précédent. Chose ahurissante : le fauteuil voisin de la dame est occupé par un ours. Celui-ci s'absente quelques instants, à l'entr'acte. Le spectateur en profite : « Excusez-moi, dois-je croire mes yeux ? C'est un ours qui vous accompagne ? — Mais parfaitement, monsieur, c'est un ours. — Et le film l'intéresse ? — Il me le fera savoir tout à l'heure. Tout ce que je peux vous dire, c'est que le roman lui avait beaucoup plu. »

Ou encore : devant le bassin des Tuileries, un quidam jette un bout de bâton. Son chien s'élance aussitôt sur la surface de l'eau, le lui rapporte. Le jeu recommence. Alors un spectateur, stupéfait : « Mais, dites donc, il court sur l'eau, votre chien !? » Et l'autre de répondre, du ton le plus naturel : « Que voulez-vous ?... Sait pas nager. »

J'en connais vingt autres. J'ai tâché d'en inventer moi-même. Essayez donc : vous verrez que cela n'est pas si facile, encore que toutes aient le même caractère, procédant de la même substitution du paradoxe à la réalité. Comment ces histoires se forment, puis se transmettent : voici qui, pour moi, reste assez mystérieux. Elles demeurent anonymes et font partie d'une sorte de folklore où le génie d'une race se fait jour, bien plus qu'on n'y puisse voir l'œuvre consciente d'un particulier. Certains recueils où l'on tâche de les grouper sont fort insuffisants; si mal faits que l'on en vient à douter si le compilateur n'est pas lui-même un imbécile. J'avais commencé de consigner celles qui me paraissaient les plus savoureuses dans un carnet que j'intitulais : *le Manuel du Parfait Causeur*. Cela comprenait deux parties : le recueil des histoires inventées faisait suite au recueil de « mots » authentiques, qu'il me paraissait déplorable de laisser sombrer dans l'oubli. Ce projet n'est du reste pas complètement abandonné...

Il en est qui d'abord vous paraissaient excellentes; il en est, nées des circonstances, qui fanent assez vite. Mais celle-ci reste d'actualité, qui circulait à travers l'Europe insoumise au moment des premiers procès de Moscou : des gardes-frontières avaient mission de tirer sur tous ceux qui cherchaient à franchir la ligne où prenait fin la zone libre. Un de ces gardes voit, ô stupeur, accourir certain soir quantité de petits lapins : « Par pitié, laissez-nous passer ! — Mais qu'est-ce qui vous prend, mes petits amis ? — Eh bien, voici : nous avons appris en confidence que l'on s'apprête à zigouiller bientôt dans le pays toutes les girafes. » Le garde se penche en riant : « Mes petits, vous savez bien pourtant que vous n'êtes pas des girafes ! — Oui, reprend le délégué lapin, tremblant d'effroi. Oui, certes... Mais comment le prouver ? »

Elle faisait froid dans le dos, cette histoire...

On en apprend. On en oublie. Pour s'en souvenir, le mieux est de les répéter aussitôt, comme je fais celle-ci, que l'on vient de me dire :

Dupont voyage avec Lévy. Dans le rapide qui les ramène à Paris, chacun occupe une couchette. On doit arriver d'assez bon matin; juste le temps de faire un brin de toilette avant de quitter le train. Dupont se lève le premier, occupe le lavabo commun le moins de temps possible, puis fait signe à son compagnon inconnu que la place est libre. Celui-ci va donc pouvoir en disposer à son tour; mais, à peine enfermé, rouvre la porte : « Excusez-moi : j'ai déjà bouclé ma valise; vous n'auriez pas la grande obligeance de me prêter quelques instants votre savon? » Dupont acquiesce. La porte du lavabo ne reste pas longtemps fermée : « Vous me permettriez de me servir quelques instants de votre peigne? » Dupont prête son peigne, mais avec un peu moins d'empressement déjà. Et quand Lévy, pour la troisième fois, rouvre la porte et demande à l'autre s'il serait peut-être assez aimable pour prêter aussi sa brosse à dents, Dupont enfin se rebiffe : « Le peigne passait encore; mais la brosse à dents, non, vraiment, monsieur, excusez-moi... — C'est bien! C'est bien! Je me garderai d'insister... »

A Paris, tout le monde descend. La scène suivante se passe chez Lévy. Mme Lévy demande à son mari s'il a fait bon voyage? « Pas mauvais, répond Lévy; mais j'avais pour compagnon de wagon un antisémite... »

Je relate du plus bref que je peux; mais ces histoires gagnent à être un peu étalées... La brosse à dents me fait penser à l'aventure de mon beau-frère Marcel Drouin, qui s'était fait fort de s'en procurer une neuve au petit bourg de Criquetot-L'Esneval, à deux kilomètres de Cuverville où nous passions ensemble un temps de vacances. J'avais bien averti Marcel : il reviendrait les mains vides. A son retour, je l'interroge. En vain, il s'était adressé au pharmacien, au coiffeur; chez la mercière peut-être... Celle-ci l'avait longuement interrogé, répétant : « Une brosse à dents... A dents, dites-vous? Mais, permettez, monsieur : puis-je vous demander pour quel usage?... » Le *à* français (v. Littré) sert à de si diverses locutions! Un « fer *à* friser »; « la mer *à* boire »; « une chance *à* courir », « une chute *à* se casser les reins », etc. Le français, qui nous semble si simple, est une langue très difficile, pleine de menus traquenards. Je connais des étrangers qui le parlent *à* merveille, mais qui trébuchent encore devant l'emploi du *si* avec l'indicatif. Je suis prêt à les comprendre; c'est une anomalie de notre langue; l'étranger sent qu'il faudrait que suivît le subjonctif ou tout au moins le conditionnel.

Il n'est peut-être pas de don que j'envie plus que le « don des langues », et qui m'ait été plus chichement accordé. Gœthe avait sans doute raison de prétendre que la peur du ridicule empêchait ici beaucoup les Français. Ce n'est pourtant pas la peur de prêter à rire qui me retient de faire usage du peu d'allemand, d'anglais ou d'italien que je sais, tant que l'horreur des cuirs, des ... oh! si fait, si fait! Gœthe a raison : c'est pourtant, tout de même et encore, certaine peur du ridicule.

Je ne me suis mis à l'anglais que très tard; mais résolument, et n'eus de cesse que je ne puisse lire couramment tant d'auteurs de toutes sortes qui font de la littérature anglaise la plus riche du monde entier. « I can't speak english » est la seule phrase que durant longtemps je pus dire et dont j'eus pour la première fois l'occasion de me servir durant le premier et très court voyage que je fis à Londres avec le pasteur Allégret, à qui m'avait confié ma mère. Il me mena entendre un prédicateur, célèbre en ce temps, Spurgeon, qui baptisait, après le sermon, des adultes dans une piscine *ad hoc*. Ceux-ci, revêtus pour la circonstance de vêtements appropriés (du moins je l'espère pour eux), se prêtaient à une immersion totale, à laquelle nous assistâmes. Après le service, comme tout le monde se retirait, une très décente jeune dame vint à ma rencontre près de la sortie et me dit quelques mots d'une voix des plus suaves; à quoi je protestai en souriant : « No, thank you » (ça, je savais le dire), croyant qu'elle se proposait à me rendre je ne sais quel service. Elle se redressa aussitôt et je me doutai, à son air cabré, que ce n'est pas du tout cela que j'aurais dû lui répondre. Le pasteur Allégret avait tout entendu. « Elle te demandait si tu voulais être sauvé », m'expliqua-t-il. Le reste du voyage s'effectua prudemment à la muette.

Une grande discussion s'est soulevée, comme d'elle-même, à propos de Molière, sur la terrasse de Cabris, la veille de mon départ. J'étais seul à défendre Molière, mais accordais que, moi non plus, il ne « me faisait pas rire », protestant aussitôt que ce n'est nullement la drôlerie qui me ravit en Molière, mais bien la langue, admirable entre toutes, la solidité, l'épaisseur enfin, tout ce qui me fait paraître près de lui fragiles, ténues, précieuses et subtiles d'autres productions plus charmantes et propres à nous séduire d'abord. Je pataugeais un peu, éprouvant qu'il est très difficile de défendre un auteur, si grand qu'il soit, lorsque celui qui l'attaque commence par se déclarer insensible à des vertus profondes et passe outre tout ce qui lui paraît désuet. Tel Léautaud devant Racine, Breton devant La Fontaine, Roger Martin du Gard devant Balzac, etc. M'accusant moi-même, je reconnus que j'avais pu rester insensible jusqu'à ces dernières années à l'autorité de Cervantes, par exemple; mais que si je l'admire aujourd'hui à l'égal des plus grands, encore dois-je convenir qu'il ne me fait pas *rire*, et que cela m'était complètement égal et ne diminuait en rien, à mes yeux, ses mérites insignes. Il fallait donc que cette œuvre, pour durer, présentât, en plus de sa *vis comica*, d'autres vertus; et je soutenais que c'était précisément le cas pour Molière, pour Aristophane, pour Plaute et pour Rabelais. Ici la conversation dévia car, comme je demandais si l'on pouvait jurer que le comique irrésistible de Charlie ferait encore rire dans cinquante ans, H. argua qu'il fallait distinguer entre rire et rire, entre celui que l'on cherche à provoquer, lequel n'a qu'une saison, et celui qui accompagne irrésistiblement tel défaut d'esprit, telle bizarrerie de la démarche, telle soufflure de l'orgueil. Celui-ci trouvait en Charlie un modèle accompli. Et comme d'autres protestaient (nous étions cinq), nous nous rendîmes enfin compte que deux d'entre nous parlaient de Charlie Du Bos, alors que les trois autres pensaient à Charlie Chaplin. C'est ainsi qu'il en va souvent dans la conversation : on s'aperçoit, après un temps de dispute vaine, que l'on ne parlait pas de la même chose. Mais souvent c'est le même objet qui provoque la mésentente, vu sous un éclairage différent. L'un a pu admirer Venise sous un parfait soleil : je ne l'ai vue que sous la pluie. Vous avez constaté que le *doublage* détériore un film, que vous aviez raison de trouver des plus remarquables dans sa version originale. C'est bien aussi pourquoi, oh! que les conversations m'ennuient! Combien je les redoute et les fuis. Il est si rare que l'on cherche à comprendre autrui, et fût-ce simplement à l'entendre! Et quelle perte de forces et de temps si l'on acquiesce, ainsi que je suis d'abord tenté de faire par gentillesse : je lutte contre cet entraînement : je crois que je sais un peu mieux résister que naguère. Mais il est tellement plus simple et moins coûteux d'approuver! L'ennui, c'est que des semaines plus tard, ou des mois, ou même des années, l'autre vient vous rappeler : « Mais ce n'est pas du tout cela que vous me disiez en avril 19.. »

Ah! revenir au temps où l'on se souciait fort peu de mon opinion sur les gens, les œuvres et les choses; ce qui me permettait de n'en pas avoir. Aujourd'hui, l'Amérique ou la Chine s'inquiète, paraît-il, de savoir ce que je pense de la bombe atomique, du dernier vote du parlement anglais, etc. Je vous demande un peu! (Exclamation particulièrement difficile à traduire.)

Une des histoires de Jammes, qu'il racontait à ravir durant son second séjour à La Roque (durant son premier, il n'était question que de la bourgeoisie d'Orthez) et qui nous secouait de rires irrépressibles, car il y mettait un accent d'une inimaginable cocasserie : un disciple de Confucius vint demander à celui-ci ce qu'il pensait de la mort. Confucius répondit : qu'il n'en pensait rien.

Je suis capable d'indignation devant certains abus de force, injustices ou lâchetés; mais, la plupart du temps, le spectacle que j'ai devant les yeux n'éveille aucun désir de jugement; pas plus que la contemplation d'un paysage, ou d'une plante ou d'un insecte. Encore que certains humains, je le reconnais, soient répugnants; mais je reporte aussitôt les regards vers ceux que je puis aimer et même, parfois, trouver admirables. Il en va de même pour les livres; et souvent je prends plus grand plaisir à relire. C'est ainsi que je viens de relire, une fois de plus, le *Malade imaginaire* et le *Bourgeois gentilhomme*, pour me convaincre à neuf, après la discussion de Cabris, que Molière « tient le coup », qu'il défie les attaques du temps, des modes nouvelles; que son œuvre est ineffritable. Et quelle langue! Comme il fait sonner ses talons sur le sol! Marivaux près de lui semble marcher sur la pointe des pieds. Mais qu'on n'aille pas voir dans ces mots un reproche. J'aime l'un et l'autre tel qu'il est. Pourtant, pour un Molière, je donnerais dix Marivaux.

De retour à Paris, où la vie reprend goût, je reprends plaisir à la vivre. A quoi bon me rappeler mon âge sans cesse? Laissons faire aux infirmités. Elles me gênent assurément, mais aucune d'elles n'est insupportable. De ne presque plus pouvoir marcher me retient davantage en chambre. Je tâcherai de me convaincre que c'est tant mieux.

Mais pourvu que les autres me laissent tranquille! O félicité! si vive, que je doute si je vais pouvoir dormir cette nuit; et demain, je risque de me sentir comme fauché par l'insomnie. Ah! par exemple, il importe que je ne me rencontre pas dans un miroir : ces yeux pochés, ces joues creuses, ces traits ravagés, ce regard éteint... je suis à faire peur et cela me fiche un cafard atroce. Passons outre. Et dire que j'étais un excellent marcheur, coureur même. Je sais très bien les deux ou trois fois où je me suis irrémédiablement fatigué le cœur. La première, c'est en montant une âpre côte à bicyclette, pour rejoindre... La seconde, par un « rétablissement » acrobatique, dans une soupente, à Saint-Clair, pour rejoindre... Enfin, bien plus récemment, dans le Liban, escaladant des rocs auprès des sources de l'Adonis, pour rejoindre... De sorte que, le lendemain, en avion, si j'eus une brusque défaillance, il était naturel qu'on l'attribuât à l'altitude; évidemment; mais je savais, moi, qu'elle était due surtout et d'abord à l'imprudence de la veille. Je suis, pour obtenir ce que je veux, tenace, hardi, téméraire même et sans regards pour les obstacles; mais pour résister à ce que les puritains appellent « la tentation », je ne vaux rien. Je n'essaie même pas. Si je croyais au diable (j'ai fait parfois semblant d'y croire : c'est si commode!) je dirais que je pactise aussitôt avec lui.

A Paris, je retrouve aussi le désordre et l'encombrement : pas une table, pas une planchette, qui ne soit surchargée de livres. Des livres que je ne trouverais pas le temps de lire, lors même que je ne ferais plus que cela; de lire « je ne dis pas ligne par ligne, mais page par page » comme me l'écrivait si drôlement Thadée N. à propos de *Paludes* que je venais de lui envoyer. Chaque jour, le courrier en apporte de nouveaux. Certains sont accompagnés d'une lettre. D'autres lettres accompagnent des manuscrits : l'auteur a besoin de savoir ce que je pense de ses poèmes (ce sont des vers, le plus souvent, que l'on m'envoie). A quel point peuvent être dérangeants ces appels! De ne point s'en rendre compte est la presque seule excuse de ceux qui les lancent. Le plus souvent, je tâche de passer outre sans les écouter, sans trop les entendre. Puis j'y reviens. Tout de même, si je me trompais... J'ai commis parfois de si grossières, de si impardonnables erreurs ; avec Proust, avec Dorothy Bussy... Aurais-je su reconnaître tout de suite la valeur insigne de Baudelaire, de Rimbaud ? N'aurais-je pas d'abord considéré Lautréamont comme un fou ? Et la question se pose enfin dans toute sa gravité : suis-je capable d'être ému par une forme de poésie entièrement nouvelle, en rupture avec toute tradition ? Et n'est-ce pas là précisément ce qui mériterait le plus la louange ? Encore qu'il ne suffise pas, pour manifester du génie, de rompre avec l'artificiel, le convenu...

Me trouverais-je en face, brusquement, de quelques nouveaux buissons ardents comparables aux *Illuminations*, aux *Chants de Maldoror*, en admettant que j'en reconnaisse aussitôt la splendeur, je crois que j'en serais, aujourd'hui, moins ébloui que gêné. A mon âge et depuis longtemps, j'ai fait mon plein de poésie. Il en va de même pour la musique; et peu s'en faut que je n'ajoute : et pour l'amour. Le jeune aventurier qui va se lancer dans la vie, comble son cœur bien vite, où la place est très marchandée. Et c'est mieux ainsi. Dante peut rencontrer par la suite d'autres Béatrices, Roméo d'autres Juliettes : il n'aura même pas un regard pour elles; il a son suffisant d'amour et d'adoration. Cette exaltation, cet enthousiasme que Hugo pouvait m'insuffler lorsque je le lisais à seize ans, d'autres que Hugo pourront les verser au cœur des adolescents d'aujourd'hui. Chacun d'eux garde une particulière reconnaissance à celui et à celle qui surent l'initier. Et rien ne vaudra par la suite ces premiers transports.

Mais il advient aussi, pour l'amour et pour l'admiration, que les plus solides soient les tardives.

Il me faut, à Paris, prendre mon parti du désordre et de l'encombrement qui en résultent. Mais quelle erreur il y aurait à croire que ce désordre me plaît! Parfois, j'en suis à ne plus savoir où trouver place pour écrire. Et quel effort il faut exiger de moi pour m'abstraire, pour cesser de voir ce qui sollicite en tant de sens divers ma pensée! Mais si je commençais à essayer de ranger livres et papiers accumulés presque au hasard, j'en aurais pour des heures, des journées. J'y renonce : il est plus simple de faire sa valise et de ficher le camp n'importe où. Combien de fois m'est-il arrivé de partir en voyage simplement pour quitter Paris! Et pourtant c'est à Paris que la fermentation intellectuelle est la plus intense. Mais la fatigue aussi. Au bout de peu de temps, je n'en puis plus : je pars.

Du reste, je n'ai nullement besoin d'être installé, pour travailler. J'écris n'importe où, sur une table de café, sur un banc de boulevard, dans le train qui m'emmène... Durant ce long trajet d'auto qui vient de me ramener à Paris, j'ai par deux fois prié Gilbert, mon chauffeur, d'arrêter pour pouvoir noter ce dont je craignais de ne plus me souvenir à l'étape — que je transcris ici :

Je n'ai laissé, dans mes dispositions testamentaires, aucune indication au sujet de mes funérailles et m'inquiète de l'embarras où seront mes exécuteurs. Mais j'ai beau me tâter, je ne puis obtenir de moi quelque décision assurée. L'incinération, à vrai dire, ne me paraît pas sans charmes; je suis assez tenté par elle, mais j'avoue que je préfère être brouté par les vers, sucé par les racines des plantes et des arbres, plutôt que reniflé au petit bonheur par des jean-foutre et des punais.

Je reste un peu gêné par « jean-foutre », dont je ne sais comment marquer le pluriel; cherche en vain dans Littré ce fort beau vilain mot, dont je voudrais connaître l'origine; et dans le très instructif *Courrier de Vaugelas* que j'ai fait relier en deux épais volumes. Au surplus, cette phrase, qui me plaisait, j'y flaire en la transcrivant un tour de cynisme un peu provocant qui ne m'est pas naturel.

Que cette « route Napoléon », par Saint-Vallier et Grenoble, que je prenais pour la première fois, m'a paru belle! Je pestais pourtant contre le toit de mon auto qui m'isolait de la nature et ne me permettait de voir que des tronçons de paysage. J'aime les voitures découvertes, encore qu'elles ne soient, m'affirme-t-on, plus de mon âge. Mais quel agrément! Et puis, pour nécessiter un arrêt brusque, lorsque, sur le bord de la route, j'aperçois une plante inconnue, je fais, d'une pichenette, s'envoler mon chapeau. En U. R. S. S., je me souviens qu'il m'avait fallu certain courage pour user du truc du chapeau et forcer de stopper notre Rolls Royce. C'était au cours d'une admirable randonnée dans le Caucase. Quelle pouvait bien être cette fleur unique, d'un rouge éclatant, un peu loin de la route, vers quoi je courus à travers champs, tandis que quelques empressés partaient à la poursuite de mon couvre-chef? Mais ce n'était qu'un très vulgaire coquelicot semblable à tous les coquelicots de France. Isolé dans cette prairie, il paraissait merveilleux...

J'ai horreur des enterrements et me répète les mots du Christ : « Laissez les morts ensevelir les morts » chaque fois que, décemment, je pourrais me croire tenu de figurer à une de ces cérémonies funèbres où quelques rares douleurs sincères sont singées par quantité de contrefacteurs. Et toutes ces mains à serrer! après quoi se sentir un irrépressible besoin de laver les siennes... Je préfère me récuser; ne faisant exception que dans le cas où mon abstention pourrait être prise pour du dédain, de la froideur. Depuis vingt ans, je garde dans mon portefeuille cette humble carte de la sœur d'une « femme de journée » à laquelle je m'étais beaucoup attaché. Cette carte est au nom de « Mademoiselle Vieillard » (Santenay, Côte-d'Or). On y lit :

« Cher Monsieur,

« C'est brisée par la douleur, que je viens vous faire part de l'horrible nouvelle : ma chère sœur Eugénie est morte cette nuit. Elle s'était levée, se sentant prise d'étouffement. Le docteur est venu de suite, mais ses efforts furent vains. Je crois rêver : elle, si gaie encore hier soir!... »

Pauvre excellente créature, si dévouée, si sensible, si maigre!... Je la vois; je l'entends encore, certain jour qu'elle s'affairait dans le studio de Marc Allégret, voisin du mien, et que celui-ci s'impatientait au téléphone jusqu'à laisser échapper un « bordel de Dieu » des plus insolites; alors Eugénie, d'ordinaire si réservée, interrompant un instant son balayage, de s'écrier : « Oh! ça c'est curieux, juste le juron de feu mon père! » (hâtons-nous d'ajouter qu'elle était d'autre part très pieuse). Je ne m'étais jamais avisé jusqu'alors qu'Eugénie Vieillard ait pu avoir un père.

Mme Théo m'a fait cadeau de son béret, en remplacement d'un petit galurin de voyage, que je portais sans cesse, mais le plus souvent sous le bras, plié en quatre, et qui, m'affirmait-elle, avait fait son temps, était devenu immettable. Il est de fait qu'il se faisait un peu remarquer, et moi dessous; qu'il était un peu ridicule. Je l'avais acheté à Karlovy-Vary, qui dans ce temps s'appelait encore Karlsbad, où j'avais été faire une cure, pour soigner je ne sais plus trop quoi, qui n'allait pas. A ma première sortie dans les rues de la ville, je tombai en arrêt devant la boutique d'un chapelier, c'est-à-dire, plus particulièrement, devant un coquin de petit chapeau dont je n'avais jamais vu le semblable. Il était souple à souhait (je n'aime pas les chapeaux rigides), léger, de couleur agréable de café; bref, j'en fis l'emplette aussitôt. Mais, continuant ma promenade, je ne rencontrai, parmi les baigneurs, pas un seul qui n'allât nu-tête. De sorte que, de retour à l'hôtel, je remisai mon acquisition dans une armoire, attendant mon retour en France pour l'arborer. Ceci se passait le matin. Or, je fus averti que, le soir, une cérémonie extraordinaire aurait lieu dans une synagogue, où je ne pourrais me dispenser d'entendre un chœur de chanteurs israélites célèbres : occasion unique à ne pas manquer. J'y courus; mais, à la porte on m'arrêta : personne n'avait le droit d'entrer que couvert. Mais on me fit aussitôt entendre que le concierge louait des chapeaux à l'usage des profanes non avertis. Le couvre-chef indispensable que le concierge me tendit était une sorte de haut de forme usagé, crasseux au point que je répugnais à m'en couvrir. Durant toute la cérémonie je le maintins des deux mains, au-dessus de ma calvitie, à quelques centimètres de mon crâne, tout en songeant au petit galurin neuf qui patientait cependant dans une armoire.

Ce n'est pas très intéressant, ce que je raconte là. Je le sais, mais je l'écris quand même; comme je vous le dirais très simplement si vous étiez assis là, près de moi, tous deux fumant une cigarette. Je voudrais tant que vous ne sentiez pas de distance entre nous! que vous puissiez penser : je n'avais pas besoin de lui pour penser cela... alors, naturellement, je suis amené à sortir quelques platitudes.

La plus jeune de mes belles-sœurs excellait dans ce qu'elle appelait « les proverbes chinois ». Je ne sais d'où elle pouvait bien les sortir, mais ils venaient toujours à point dans une discussion lorsqu'elle sentait qu'elle allait perdre l'avantage. C'était quelquefois un peu crispant, surtout lorsque l'on commençait de comprendre que, ces proverbes, elle les inventait à plaisir. *On ne peut pas en vouloir à qui se trompe de bonne foi*, comme dit un proverbe chinois, disait-elle, du même ton que, un peu plus jeune, elle battait en retraite avec un « admettons » plein de condescendance et qui me mettait hors de moi. Ou encore : *Rien ne donne plus d'assurance que l'erreur.*

Elle avait, tout enfant, un extraordinaire sens du mystère. Nous l'avions aussi, ses deux sœurs et moi, mais moins fort qu'elle. Par exemple, quand nous étions tout à fait « entre nous » et que nous causions de n'importe quoi, il arrivait que Valentine fît suivre n'importe quelle phrase banale de ce qu'elle appelait sa « formule magique ». J'aurais tellement voulu la savoir : « Je t'en prie, Valentine, dis-la une fois très lentement, que je puisse la retenir.

— Ça n'a pas de valeur, quand ça n'est pas dit très vite. Tiens! je veux être gentille : je la répète encore une fois; mais pas plus. » Et je distinguais mal, dans une espèce de bredouillement, quelque chose comme : « Hossalaps allalip derfous. »

Mais il y avait encore ceci, qui me paraît aujourd'hui bien plus curieux. Des cinq enfants de mon oncle, les deux garçons sensiblement plus jeunes ne participaient d'ordinaire pas à nos jeux et je ne me souviens pas qu'ils fissent partie du petit cérémonial que je vais dire, auquel moi-même je n'assistai qu'une seule et unique fois. Cela se passait sur un toit de buanderie attenant à la cuisine, lesquelles se trouvaient au rez-de-chaussée. Ce toit prenait jour et air par en haut. On y accédait par une porte basse. C'était comme une petite cour intérieure, entre des murs de trois étages, à l'abri des regards indiscrets. Je crois bien que je n'y avais jamais mis les pieds; je crois même que j'en ignorais l'existence jusqu'au jour où je fus initié.

J'ai dit que mes deux cousins ne prenaient pas part à nos jeux. Alors, je ne comprends plus bien; car il fallait tout de même être plus de quatre pour jouer à « Signora Velcha ». Mais je me souviens soudain, ou du moins crois me souvenir, que Marguerite Waddington se joignait à notre procession. Et même je me demande à présent si ce n'était pas elle qui nous avait appris le jeu. Il devait y avoir une tradition; tout se passait selon un rite transmis. Mes trois cousines et Mlle Waddington, amie de Valentine, s'étaient couvert le visage d'une sorte de housse; en file indienne ou avançant à pas très lents, très mesurés, faisant le tour de la petite cour; et quand l'avant-dernière de la procession se trouvait à hauteur de la première (c'était réglé comme un ballet), l'une et l'autre relevaient leur housse, faisaient un pas en avant l'une vers l'autre et disaient sur un ton très grave et avec le plus grand sérieux, s'adressant à l'autre mais ensemble exactement, ces mots : « Signora Velcha, avez-vous bientôt fini ? » qui ne comportaient pas de réponse. Suivaient quelques instants de silence angoissé ; puis le cortège reprenait sa ronde, jusqu'à la confrontation de la dernière avec la seconde et la répétition de la formule. « J'ai trop peur de me tromper. Non ! laissez-moi : jamais je ne saurai jouer à votre jeu », m'étais-je d'abord écrié en me débattant. Valentine insistait : « Si, si ; tu dois savoir. Il est temps que tu apprennes. » Valentine était assez fière de ses rapports avec Marguerite Waddington dont le père, si je ne me trompe, était ou avait été ambassadeur. Je la revois, belle, peut-être un peu dédaigneuse ou hautaine, et sans doute avec toutes les qualités déjà qui lui permirent de devenir, par la suite, la directrice (ne dit-on pas : la Mère supérieure) du couvent de Vanves, où la seconde fille de Jacques Copeau prononça ses vœux. A présent, à Madagascar, celle-ci continue de prier pour le vieil ami de son père et de sa mère, qui l'aimait bien.

Agnès Copeau était la meilleure amie

de ma femme. La famille Copeau, au grand complet, avait accepté de venir à Cuverville pour partager avec nous l'angoisse du début de la guerre. En ce temps, Edi Copeau, la future nonne, était encore au berceau. Elle était charmante. Sur son petit front, les cheveux blonds restaient, en dépit des cosmétiques, dressés comme des pointes. Je l'appelais *Igel*, ce qui, dans une autre langue, signifiait le Hérisson. Cependant Jacques travaillait aux *Karamazov*.

Mais peut-être bien que je fais erreur (il ne faut jamais se fier à moi pour les dates). N'était-ce pas plutôt la *Maison natale* qui l'occupait alors [1]? et l'adaptation du chef-d'œuvre de Dostoïevsky ne fut-elle pas le joyeux tourment d'un autre séjour près de nous?

Tout se brouille dans mon cœur et dans ma tête; et, particulièrement dans les

1. Oui : je télescope deux séjours des Copeau à Cuverville : celui de 1914 était le second. La crainte de l'invasion des départements normands précipita le départ des Copeau pour Saint-Clair (Le Lavandou).

rêves que je fais, j'assiste à des surimpressions ahurissantes et j'en arrive à ne plus du tout savoir où j'en suis. Au point de vue pratique, cela peut devenir extrêmement gênant; comme aussi de confondre les personnages d'un drame, d'un film ou de la vie et de prendre les uns pour les autres. Et puis cela encourage à l'excès certaine méfiance naturelle à l'égard de ce que l'on est tenu d'appeler la réalité — dont j'ai parlé surabondamment ailleurs.

Quand j'étais très jeune, il m'arrivait souvent de me lancer, la nuit, dans d'effroyables cauchemars, dont je sortais tremblant et baigné de larmes. Puis, je ne sais ce qui s'est passé dans mon organisme, ni quelles glandes endocrines s'étant soudain mises à fonctionner différemment, le sentiment de frousse me déserta. Je rêvais encore des mêmes croquemitaines, mais sans plus les prendre au sérieux; la crique pouvait bien me croquer encore, mais je trouvais cela rigolo. Dans la vie dite réelle, je reste le plus souvent prudent et précautionneux; mais parfois le démon de la curiosité l'emporte (je devrais dire : m'emporte) et me rend insoucieux du danger. Comme cette nuit où, fort tard, je m'étais aventuré vers les escaliers du port d'Alger à la poursuite de deux jeunes arabes qui me paraissaient des plus étranges; un monsieur très bien mis — et pour des fins assurément charitables — murmura d'une voix fort distincte et fort distinguée (nous étions encore sur le quai supérieur, mais il sautait aux yeux que je m'apprêtais à descendre vers des docks fort mal éclairés), lorsque je passai près de lui (mais que faisait-il lui-même sur ce quai désert ?) : « Attention, monsieur : ce que vous faites est extrêmement dangereux. » Je crois que je lui dis : « Merci », en soulevant mon chapeau et en inclinant un visage confus. Mais quand je le relevai, les deux gosses avaient disparu. Et peut-être, après tout, cet inconnu m'a-t-il sauvé la vie.

Une autre nuit, ce n'était plus deux gosses, mais deux solides gaillards... Cela se passait à Venise. Au quai dei Schiavoni, j'étais monté dans leur gondole sans aucun dessein ténébreux. Vous savez bien que, si j'avais eu des desseins ténébreux, je ne me gênerais pas pour les dire; mais non : je ne songeais qu'à passer une heure en gondole avant de m'aller coucher sagement; et sinon j'aurais commencé par choisir d'autres nautoniers que ces deux costauds plus très jeunes. Or, dans le fond de la gondole, je m'étais étendu sans plus rien voir que le ciel au-dessus de ma tête. Tout au plus m'étais-je rendu compte qu'ils remontaient le Canal Grande; puis je plongeai dans une insouciante et poétique torpeur. Soudain, la gondole s'arrêta. Que se passait-il? Où sommes-nous? Plus dans le Canal Grande assurément. De couché que j'étais, j'avais eu juste le temps de m'asseoir pour voir un de mes deux gaillards se dresser devant moi entre mes jambes et me dire d'une voix qui n'avait rien de tendre : « Adesso pagare. » A quoi je compris qu'il m'invitait à sortir illico mon portefeuille. Sans avoir l'air de rien, je pus en un clin d'œil me persuader que l'étroit canal où nous nous étions engagés circulait entre des murs sourds et aveugles, parfaitement inattentifs et indifférents à ce qui pouvait bien se perpétrer à leur base. Je n'avais pas de pistolet sur moi (je n'en ai jamais); pas d'autre arme qu'un gros bâton sur lequel je pris appui, pour ainsi dire, sans du tout changer de position. Je compris (on devient brusquement très intelligent dans ces cas-là) que le moindre geste pouvait me perdre, ou plus précisément : que j'étais perdu si je laissais paraître la moindre crainte, le plus petit essai de défense et de protection de moi-même ou du peu de billets que j'avais sur moi. Une seule chose à faire, pensai-je : crâner. Mon apparente indifférence me sauva. Eussé-je porté la main à mon portefeuille, rien n'était plus aisé que de me le faire sauter des mains. Rien n'était plus facile, ensuite, que de m'étourdir d'un coup d'aviron sur la tête, de me jeter par-dessus bord et, après, ni vu ni connu. Tant qu'à périr noyé, oserai-je ajouter, je préférerais d'autres eaux que celles, fétides et putrides, des canaux de Venise.

L'autre attendait, manifestement surpris par mon calme. Il répéta, un peu moins impérativement déjà : « Adesso, pagare. » Nous nous regardâmes : « Niente da fare », dis-je. L'embêtant, c'était que je ne savais pas assez l'italien pour lui expliquer ma ferme intention de ne le payer qu'une fois ramené au quai dei Schiavoni. Je dus me contenter de prononcer le nom du quai, celui même où j'étais monté dans leur gondole. Il comprit. Je le vis balancer quelques instants d'un pied sur l'autre, en hésitant... Quand il se fut rassis auprès de son compagnon, j'offris à chacun une cigarette qu'ils acceptèrent en riant. Tout cela m'avait prodigieusement amusé.

La peur, c'est à Ravenne que je la connus; complètement irraisonnée et irraisonnable. Nous occupions, à l'hôtel Byron, une immense chambre à deux lits. Ses portes-fenêtres ouvraient de plain-pied sur une vaste terrasse que prolongeait en contrebas le jardin de l'hôtel. Je ne sais si tout cela existe encore aujourd'hui. Je ne suis jamais retourné à Ravenne depuis ce temps de notre voyage de noces. Chacun des deux lits, quoique très distants l'un de l'autre, faisait face à l'énorme porte-fenêtre, que la tiédeur de l'air nous avait invités à laisser grande ouverte. La clarté de la pleine lune envahissait la moitié de la chambre. Si je ne précisais ces détails, on ne comprendrait rien à ce que je vais dire. Vers minuit, je fus réveillé par un appel de ma femme : elle me demandait de me lever, d'aller fermer la porte-fenêtre. Il me parut que sa voix tremblait. J'avais posé contre mon lit cette même canne qui m'avait prêté de l'assurance contre les gondoliers. Je ne laissai point voir à ma femme que je m'en saisis aussitôt. L'espace vide à parcourir pour atteindre la fenêtre me parut énorme; durant quelques instants, je doutai si j'aurais la force et le courage de le franchir. En regagnant mon lit sitôt ensuite, je n'avais qu'un souci : ne pas laisser voir à ma femme que mes genoux tremblaient, et surtout qu'elle n'entendît pas claquer mes dents; mais n'était-ce pas de fièvre plus encore que de peur? C'est ce que je ne me demandai qu'ensuite, me souvenant que nous avions passé les plus ardentes heures du jour à courir en voiture découverte à travers les fantastiques marais qui entourent la ville; qui l'entouraient du moins en ce temps, où régnait la malaria dont nous ressentions tous deux les effets.

Je parviens bien difficilement, bien rarement, à avoir le même âge tous les jours. Tout enfant déjà, mes oncles et tantes m'appelaient : l'irrégulier. Comprend-on quelle serait la situation de quelqu'un qui, à son réveil, saurait pouvoir, dans le courant du jour, tantôt disposer de rentes abondantes et tantôt se sentirait réduit presque à la mendicité? Comment oser prendre des engagements lorsqu'on doute si l'on sera à même de les tenir? L'inconfiance en soi peut devenir paralysante. Ne pas pouvoir compter sur soi. Celui qui vient au rendez-vous, sera-t-il le même que celui qui l'a pris? D'où mes retraits, mes dérobades, mes fuites, mon apparente versatilité. Ne pas reconnaître les autres, passe encore; mais ne pas se reconnaître soi-même, que c'est gênant! Laissez-moi donc me retirer du jeu, par crainte de vous faire faux bond. Aujourd'hui, je vous parlerais volontiers; demain je risque de ne trouver rien à vous dire...

Une autre chose m'empêche encore : ne pas du tout savoir de quel crédit je dispose dans l'esprit d'autrui. J'admire et j'envie ces infatués naturels qui se reposent sur la conviction que tout leur est dû. Quelle assurance cela donne à leur démarche! Si je m'avance, c'est en timoré; et le plus souvent je préfère ne pas m'avancer du tout. Cela vient aussi de la longue habitude prise de n'être pas du tout écouté. Mieux vaut alors garder le silence. Et de là vient peut-être la valeur, si tant est qu'il en ait, de mon *Journal;* avec lui je prenais ma revanche; en lui je me réfugiais. A présent que je sais et sens que, d'avance, l'on prête attention à ce que je vais dire, j'ai beaucoup moins envie de parler. Pourtant, il me prend désir, parfois, de placer une anecdote. C'est d'ordinaire lorsque la conversation languit; car je supporte mal les silences. A présent, j'ose me lancer. Mais il ne me faut pas remonter loin en arrière : je n'avais qu'un souci : atteindre bien vite la fin de l'histoire, par grande crainte qu'on ne me la laisse pas achever. Tant de fois j'avais été interrompu! Alors, je galope. Mais v'lan! Le récit est coupé juste « au moment le plus chouette », comme chantait Yvette Guilbert. Et tant de fois j'avais connu cette mortification : personne pour demander la suite, pour prononcer un rassurant et réconfortant : « Et alors?... » On se met à parler d'autre chose et j'en suis pour mes frais et pour me dire une fois de plus : mieux vaudrait n'avoir pas commencé, plutôt que de ne pouvoir finir.

D'ordinaire, les conversations m'embêtent, m'exténuent. Ceux avec qui l'on peut rester naturel sont si rares! Les instants où l'on peut s'entretenir avec ces quelques rares sont d'autant plus charmants, plus précieux. J'ai parlé d'avarice, tantôt : c'est de mon temps que je me montre le moins prodigue : j'en veux à ceux qui me le font perdre et ne parviens pas à me persuader qu'ils prennent réel plaisir avec moi, lorsque j'en prends avec eux si peu. Mais durant ma jeunesse, il n'en allait pas de même, certes; et du temps de l'*Ermitage* et des débuts de la *Nouvelle Revue Française* surtout, les causeries battaient leur plein : il fallait s'informer, comprendre bien ce que nous voulions, qui nous étions : causer, c'était collaborer et nous ne parlions pas pour ne rien dire. Le livre que Ghéon intitula : *Nos directives* garde le reflet de nos palabres et thésaurise le résultat de nos efforts pour désenliser la littérature et les arts, les dégager enfin de l'ornière. Ceux qui nous succédèrent, profitant sans trop le savoir du nouvel aiguillage, perdirent de vue très vite la triste situation des « lettres françaises » d'alors et quel fameux coup de barre il nous avait fallu donner pour remettre en bonne voie le char embourbé. (La peste soit des métaphores : on songe irrésistiblement au « char de l'État qui navigue, etc. ». Tant pis.)

Je remonte plus loin encore en arrière, à l'époque de « Signora Velcha, avez-vous bientôt fini ? », pour mentionner un autre jeu, auquel nous n'avions du reste, mes cousines et moi, que de trop rares occasions de jouer. Ce ne pouvait être qu'à Rouen, à la suite de certains grands dîners qui réunissaient, rue de Crosne, chez les Henri Rondeaux, un certain nombre de membres de la famille. On laissait les enfants, c'est-à-dire nous, quitter la table aussitôt après le dessert, tandis que les grandes personnes s'attardaient dans la salle à manger. Nous gagnions donc alors le salon tous les quatre et, à grand effort de mémoire, tâchions de retracer les étapes successives de la conversation. Nous savions où elle en était au moment où nous l'avions quittée. Nous connaissions aussi son point de départ. Entre ces deux points extrêmes, il s'agissait de retracer une ligne sinueuse, pleine de courbes et d'incidences, d'interventions, d'interruptions plus ou moins fortuites. C'était un jeu savant, où nous ne réussissions pas toujours à combler les incertitudes et les vides. « Non ; la tante Lucile n'a commencé à se plaindre de la grève des ouvriers du Houlme que plus tard, après que l'oncle Henri ait fait observer que les grèves sont aussi préjudiciables aux ouvriers qu'aux patrons. » « Non ; la remarque de l'oncle n'est au contraire venue qu'ensuite. »

J'aimais ce jeu. J'aimais tous les jeux gratuits et non brutaux. Je me souviens que, beaucoup plus tard, lorsqu'il vint à prendre connaissance du début de *Si le grain ne meurt*, Charlie Du Bos ne me cacha pas son ennui devant les descriptions du kaléidoscope, des billes et de tout ce que je raconte à l'entour des divertissements de ma première enfance, sans doute un peu trop complaisamment, j'en conviens. Il ajoutait : « Que voulez-vous, cher Gide ? Moi, je n'ai jamais joué. » Ce qui lui permettait de considérer, avec quelle sévérité, les jeux des autres ! Mais encore aujourd'hui je doute que cette ignorance soit preuve d'une supériorité ; quoi qu'en puisse penser Pascal.

Que ma mémoire ne soit pas (du moins, pas toujours) fiable, je le sais ; Dominique Drouin, mon neveu-filleul, vient de m'en apporter une preuve nouvelle, si bizarre que je la veux consigner ici. Après quoi l'on comprendra que je ne m'aventure qu'en tremblant dans les sables mouvants du passé.

Il s'agit d'un récit qu'il m'avait fait au sortir de la première guerre, où Paul Gide, autre neveu, était resté. Lui, Domi, ne s'en était tiré que par miracle. Le récit auquel je fais allusion m'avait si fort impressionné que je l'avais noté dans mon *Journal*. Je ne me souvenais plus de l'avoir noté; mais, paraît-il, d'une manière si imparfaite que, tout dernièrement, Domi crut bon d'y revenir. Rien, absolument rien, dans tout ce que j'en disais, n'était exact. Je restai confondu.

Pour plus de clarté, je transcris d'abord les dix lignes incriminées (*Journal* du 15 septembre 1931) : « Je songe à ce petit soldat que Domi vit mourir près de lui, dans le fossé où ils s'étaient blottis tous les deux. Moins abrité que Domi, il recevait toutes les balles. Domi les entendait entrer dans cette chair tendre. Et le petit (presque un enfant, disait Domi) ne se plaignait pas, mais disait seulement, par instants, lors d'une blessure nouvelle : « C'est trop! ah! c'est trop!... » d'une voix douce; comme s'il s'était bien apprêté à souffrir, mais pourtant pas tant que cela. »

« Avec quels éclats de rire, me disait donc Domi, il y a quelques jours, c'est-à-dire près de trente ans plus tard, j'ai relu à haute voix ces lignes, devant André Desfeuilles, qui a fort bien connu le type en question. D'abord, il n'est pas mort; moins de six mois après, il se portait à merveille. « Presque un enfant », dis-tu... C'était un solide gaillard, qui ne songeait qu'à la rigolade et qui... et que... » Et Domi ajoutait, en riant lui-même : « Je ne mets pas en doute (ne te méprends pas) la sincérité avec laquelle... tu as tout inventé. »

J'ai beaucoup réfléchi à l'affaire, avec consternation d'abord; puis mon scepticisme s'est lentement déplacé : « Tout inventé? » Je n'en suis plus si sûr. Plus sûr du tout de n'avoir pas télescopé deux histoires. Car enfin le récit premier de Domi m'avait proprement bouleversé; je dirai même que mon estime et mon affection pour Domi s'étaient extraordinairement accrues en conséquence de ce récit même. Car, en tout cas, ce que je n'avais pu inventer, c'était mon émotion... Il n'en reste pas moins que le souvenir d'un fait peut rester (ou devenir) extraordinairement différent du fait lui-même et, pour ainsi dire, se substituer à lui. L'on devrait dresser les enfants de bonne heure, leur apprendre à témoigner sans déformation.

Cela devrait faire partie d'une éducation bien comprise. Une fois par semaine, si j'étais professeur, j'emmènerais ma classe dans les rues : un petit accident se tiendrait prêt, auquel assisteraient les enfants qui, ensuite, auraient à le raconter simplement. Le meilleur « bystander » aurait la meilleure note pour un reportage qui tiendrait lieu de « devoir de français »; et une sorte d'émulation s'établirait où triompherait celui qui, dans son récit, aurait su faire preuve de la plus objective exactitude.

Nous avions assisté, ma femme et moi, à l'arrivée à Paris du jeune roi d'Espagne. Tout le long du trajet de sa voiture, une haie s'était formée; nous étions dans les premiers rangs, de sorte que l'on ne peut arguer que peut-être nous ne l'avons pas *bien* vu. Alors, comment expliquer que, le soir, reparlant de cette cérémonie qui nous avait émus, nous constatâmes avec stupeur que ma femme avait vu le jeune roi revêtu d'un uniforme blanc, tandis qu'il m'était apparu tout en rouge?... Lequel de nous deux se trompait ? Impossible de le savoir : les journaux ne parlaient pas de la couleur de son costume.

Oui, l'effort de l'éducation première devrait tendre à *désubjectiviser* l'enfant, à lui apprendre à voir et sentir les choses telles qu'elles sont en réalité, à les juger indépendamment de ses réactions personnelles. Je m'explique : à la table de famille, à Cuverville, chaque jour la même comédie recommence : l'un déclare-t-il qu'il fait très chaud, que l'on étouffe, aussitôt un autre proteste que précisément, ce matin-là, il grelotte. Je proteste à mon tour : « Peu m'importe ce que tu ressens. Je voudrais que les enfants qui sont à cette table deviennent capables d'estimer précisément le nombre de degrés que peut marquer le thermomètre. Il importe de les dresser à cela, qui coupe court aux discussions. Dans cette évaluation contrôlée, il ne faut pas beaucoup de temps pour devenir fort habile; et cela vaut mieux que de couvrir à l'excès ou de découvrir les enfants, comme à la poursuite d'un rhume, suivant la dictée d'impressions purement subjectives. » Sur ce, ma belle-sœur déclare qu'elle n'a pas besoin de thermomètre pour savoir comment elle doit habiller ses enfants et que son flair maternel ne l'a jamais trompée; tandis que le thermomètre, il faut toujours interpréter ses indications... C'était le départ de débats où nous nous perdions comme dans une forêt vierge. L'un des interlocuteurs s'écrie alors : « forêt vierge » pour donner à entendre qu'on n'en sortirait pas. Puis le calme se rétablit, soudain et on ne sait pourquoi, pas plus que, lors des concerts vespéraux des grenouilles, il se fait de brusques silences où toutes se taisent à la fois, on dirait d'un commun accord, de même que toutes ensemble avaient commencé de coasser. Passons outre.

Je voudrais à présent livrer quelques-uns de mes trucs pour guider le choix d'un ou d'une secrétaire. Il importe de ne point s'engager à la légère. Je ne sais à peu près rien de celle qui se présente et que d'abord je veux mettre à l'épreuve, mais sans qu'elle s'en doute. Alors voici ce que j'imagine. Averti, j'ai eu soin, avant sa venue, de sortir de ma bibliothèque une douzaine de volumes de Sainte-Beuve, que j'abandonne épars sur le plancher. « Mademoiselle (ou madame, ou monsieur), vous seriez bien aimable, tandis que j'achève une lettre, de ranger sur ce rayon (que je désigne) les livres que voici par terre. » Et je lui laisse tout le temps qu'il faut pour mener à bien ce petit travail, tandis que je feins d'être absorbé par la lettre que, cependant, elle me voit écrire. C'est fait. Ma lettre et le rangement sont terminés. Alors je me lève pour contempler les Sainte-Beuve. Horreur! Les *Lundis*, *Nouveaux lundis*, *Portraits contemporains*, etc., sont tous mélangés. Ou bien c'est un tome II qui n'a que faire après le X. Ou bien celui-ci (ces volumes sont reliés) qui se présente la tête en bas. « Vous auriez dû me dire que je devais les mettre en ordre. — Mademoiselle, il allait de soi. C'est votre ordre qui doit me permettre de n'en point avoir.»

Je me souviens de celle qui... Je la gardai trois jours. Elle était charmante. Ce n'était pas l'amour de l'ordre, mais l'intelligence qui lui manquait. Le soir du troisième jour, elle m'annonça qu'elle avait bien travaillé : elle avait mis de l'ordre dans ma correspondance avec Jammes. Il faut dire d'abord que, en ce temps, aucun de nous ne datait ses lettres. Aussi bien avais-je pris soin de conserver, avec chaque lettre, l'enveloppe où le timbre de la poste suffisait à me renseigner. Elle avait fait un gros paquet des enveloppes indicatrices, enlevant à tout jamais tout moyen de s'y reconnaître. A la suite de quoi, j'étais parti en voyage, sans plus de secrétaire du tout.

Ces défaillances de mémoire, et quand il en irait de mon salut... rien à faire. Il y a quelque chose que je savais et, à présent, à la place du souvenir, il n'y a plus qu'un grand trou, noir ou blanc. L'anecdote que je vais dire et que j'ai gardée jusqu'ici par devers moi me serre le cœur, encore aujourd'hui. Mais je ne puis la rapporter sans commentaires. Elle a trait à cette déficience dont je parlais.

Notre voyage en U. R. S. S. touchait à sa fin. Déjà Schiffrin et Guilloux nous avaient quittés, le dernier ne supportant pas un plus long dépaysement. Pierre Herbart, Jef Last, Dabit et moi tenions le coup, et l'aurions tenu longtemps encore, toujours intéressés, et je dirai même : de plus en plus, par l'étrangeté d'un pays entre tous admirable et requis par la sympathie chaleureuse des habitants, qui ne se démentit pas un seul jour. On a parlé par la suite de déceptions de notre part : il n'en était rien. Une communion toute humaine s'établissait dès le premier abord avec ceux dont nous ne parlions pourtant pas la langue, du moins Dabit et moi, car pour Jef, il était capable de comprendre au bout de huit jours n'importe quel idiome, au bout de quinze de converser; quant à Pierre Herbart, il venait de passer plus d'un an à Moscou. Mais, ce jour-là, je ne sais plus pourquoi, nous étions restés seuls, Dabit et moi, à Sébastopol, et avions accepté qu'une fastueuse auto nous entraînât dans une énorme randonnée vers un campement de jeunesse des plus modernes et qui dépassait en perfection tout ce que nous pouvions attendre. Cet établissement, où nous nous attardâmes longuement, est un de ceux dont l'U. R. S. S. avait le plus de raisons d'être fière; le seul ennui, c'est qu'elle s'en targuait un peu trop et qu'on entretenait les enfants qui bénéficiaient de ses prodigieux avantages dans une ignorance trop opaque du reste de l'univers. Mais ce que je veux dire se rapporte à l'aller, c'est-à-dire : avant que Dabit ne ressentît les premières atteintes de cette scarlatine qui devait, peu de jours après, l'emporter. Nous voici donc tous deux, étendus dans le fond de l'auto, et jamais Dabit ne s'était montré plus exquis, ni plus enclin aux confidences. Il me raconta, doucement, presque tristement, certain pèlerinage qu'il avait fait naguère à Cuverville. Et moi de m'étonner, de lui demander des détails.

Il était demeuré longuement en contemplation de cette vieille maison familiale, où je n'étais pas à ce moment. La discrétion l'avait retenu d'entrer dans le jardin où jouaient quelques-uns de mes neveux ou nièces. Une pluie fine s'était mise à tomber, qui pourtant ne l'avait pas fait fuir. Il avait parcouru la hêtraie; reconnu la petite porte derrière laquelle mon Alissa retrouve inopinément son Jérôme de la *Porte étroite;* s'était assis sur le banc à l'extrémité de l'avenue, où Alissa prend congé de Jérôme et du monde; était enfin reparti, le cœur plein de larmes et d'amour. En parlant, il m'avait pris la main qu'il gardait pressée dans la sienne. Et moi, j'écoutais ce récit, bouleversé par son amicale ferveur. Depuis la réception de cette lettre, nous nous étions revus bien des fois, mais jamais aucune allusion n'avait été faite à sa visite à Cuverville, dont j'écoutais le récit avec une surprise émue. La visite à Cuverville remontait à juin 1928. Nous étions, lorsqu'il m'en parla, en août 1936. Il ne me dit pas :

mais je vous ai dit tout cela dans le temps. Et le fait est que, de retour à Paris, recherchant les lettres de Dabit que j'avais toutes conservées, j'ai retrouvé celle du 4 juin 1928 où il raconte à celui qui était encore pour lui « M. Gide » cette visite, d'une manière qui me paraît aujourd'hui pathétique, comme me paraît effroyable l'apparente indifférence avec laquelle j'avais accueilli ce témoignage de juvénile ferveur. Je n'en avais gardé aucun souvenir. Quelle interprétation put-il donner à ce honteux oubli ? Dédain, froideur, je ne sais ; mais comment douter qu'il en ait pu souffrir ?

Le soir même de ce jour, il dut se mettre au lit. Un docteur, appelé en hâte, interdit l'accès de sa chambre, par crainte de la contagion. Par la porte ouverte, je pus encore lui faire, de loin, un signe amical. Et tout fut fini. Pierre Herbart, Jef Last et moi repartîmes trois jours plus tard pour Moscou, où Dabit devait incessamment nous rejoindre, remis de son indisposition passagère. A notre arrivée à Moscou, nous trouvâmes une sinistre dépêche qui nous apprenait sa mort. Elle nous laissait inconsolables. On ne pouvait imaginer quelqu'un plus digne d'être aimé que Dabit.

Ce que purent être ces derniers jours, ces dernières heures de Dabit, entouré de gens qui ne parlaient pas sa langue et dont il ne comprenait point la leur, je n'y pense pas sans horreur. Quelle put être sa détresse à partir du moment où il se sentit perdu, sans possibilité d'appel, sans recours... Nous ne l'avions quitté qu'avec la quasi-certitude qu'il ne souffrait que d'une indisposition passagère; mais, à ses yeux, ne l'avions-nous pas abandonné?

Je relis ses lettres; profuses, diffuses, mais, dès les premières, de 1927, chargées d'une surabondance de tendresse qui ne laissa pas de m'effrayer un peu. Dabit réclamait de moi, non seulement une amitié que je lui accordais de tout cœur, mais aussi des conseils littéraires qui eussent exigé de moi un temps dont je ne pouvais plus disposer. Il s'agissait de revoir et de l'aider à parfaire un important manuscrit qu'il tenait à me soumettre. Au surplus, je ne me sentais pas très particulièrement qualifié pour ce genre d'assistance. Je songeai à Roger Martin du Gard, peut-être un peu plus disponible que moi et dont l'esthétique se rapprochait un peu plus de la sienne. Je me permis de les aboucher et c'est entre eux que commença de s'établir une correspondance suivie qui permit à l'*Hôtel du Nord* de prendre forme et de devenir le très beau livre que nous connaissons. Ceux-là seuls qui ne connaissent pas la scrupuleuse attention de l'auteur des *Thibault*, sa conscience professionnelle et son abnégation amicale s'étonneront du temps énorme qu'il consentit à consacrer à cette aide de maître à disciple, qui persista je ne sais combien de mois et d'années. Je ne doute pas de l'excellence des conseils qu'il sut lui donner sans relâche, et crois que, si l'échange de leurs lettres vient à être publié plus tard, maints autres novices y pourront trouver enseignement et profit. Mais l'amitié que Dabit me portait n'en demeurait pas moins fervente, et je sus lui prouver celle que je lui vouais en l'invitant à m'accompagner, neuf ans plus tard, en Russie, avec Guilloux, Schiffrin, Herbart et Jef Last.

Ce que fut ce voyage, je ne l'ai laissé que très imparfaitement entrevoir dans mon *Retour de l'U. R. S. S.* Je déplore de ne point avoir pris note, au jour le jour, de tout ce qu'il nous fut donné de voir et d'éprouver; mais la perpétuelle surveillance à laquelle je me sentais soumis, la crainte des surprises indiscrètes, me retenaient de rien consigner par écrit qui pût, par la suite, servir à l'on ne sait quelles fins perfides. Mais, puisque je ramène à fleur de mémoire ces souvenirs, que ce soit pour protester une fois de plus contre ce bruit qui courut, à la suite de la publication de mon livre, que ce voyage m'avait déçu. Déçu quant à la réalisation parfaite du communisme, certes oui; et ce que j'en dis, et de l'absence de liberté laissée à l'homme, reste fort au-dessous de la vérité : les événements qui suivirent n'ont, par la suite, prouvé que trop abondamment l'exactitude de mes dires et la justesse même de mes pronostics. Mais le voyage en lui-même, aucun de ceux que j'ai jamais faits ne m'a laissé de souvenirs plus capiteux. Il n'est sans doute pas de pays où j'aie souhaité plus ardemment retourner. Il faut bien reconnaître que je circulais là-bas, porté, soulevé par une sympathie populaire on ne peut plus exaltante. Pierre Herbart s'amusait à prétendre (mais c'était pour taquiner Bola, notre guide) que notre auto transportait avec nous, ou du moins celle qui nous précédait, les banderoles en mon honneur sous lesquelles je passais à chaque nouveau village traversé. Mais l'enthousiasme, mais la cordialité débordante de l'accueil, où que j'aille... Je puis dire vraiment que j'ai connu ce que l'on appelle la gloire, et qu'elle n'a pas toujours très bon goût. Car si le spectacle s'interrompait soudain, d'une salle où j'entrais à Léningrad ou à

Moscou, pour laisser l'orchestre entonner la *Marseillaise* lorsque l'on me voyait entrer, ou dans les parcs de culture, combien m'allaient plus près du cœur les plaisirs quasi clandestins que je goûtais par surprise, lorsque, grâce à la connivence de mes compagnons, je parvenais à échapper à la surveillance assidue de ceux que nous appelions nos « anges gardiens ». Ce jeu de cache-cache n'était du reste pas sans attraits par lui-même, encore que quelque peu périlleux. L'on a même été jusqu'à dire que je m'étais trouvé fort contrarié, fort gêné par les lois nouvelles contre l'homosexualité qui sévissaient, paraît-il, sous le nouveau régime. Ce que je puis dire, c'est que je ne m'en aperçus guère et que, dans aucun autre pays, je n'avais trouvé pareille complaisance et connivence à cet égard. Certes, le diable n'y perdait rien. Au reste bénéficiais-je, sans trop m'en douter, d'une immunité particulière... Mais je ne pourrais insister sur ce point sans entrer dans des particularités par trop indiscrètes. Décidément, j'ai bien fait de ne rien noter.

En dehors de mes deux petits livres sur l'U. R. S. S., je crois avoir déjà parlé de tout cela, et peut-être plus d'une fois. J'en garde la vague conscience. Oui, conscience que, dans ce que j'écris aujourd'hui, il m'arrive souvent de me redire. C'est ce que l'on appelle irrévérencieusement : radoter. Je m'y expose en accueillant sans trop d'examen ce qui se propose à moi présentement, ratiocinations nouvelles et souvenirs. C'est l'écueil inévitable de ce que je me suis proposé en commençant d'écrire dans ce carnet. Mais si maintenant je soumets à trop de contrôle le tout venant primesautier, tout est fichu. C'en est fait du laisser-aller, de l'abandon. Tant pis! mieux vaut encore admettre les répétitions, si fréquentes qu'elles puissent être. Une autre chose me gêne, qui vient du désordre chronologique de mon esprit : certains souvenirs chevauchent, se télescopent, se juxtaposent; des surimpressions se produisent. Elles triomphent surtout dans les rêves. Pour peu que je vive encore quelque temps, les épouvantes et les horreurs des deux grandes guerres en viendront, sur plus d'un point, à se confondre. Comme aussi, mais dans le rêve seulement, la figure de ma femme se substitue parfois, subtilement et comme mystiquement, à celle de ma mère, sans que j'en sois très étonné. Les contours des visages ne sont pas assez nets pour me retenir de passer de l'une à l'autre; l'émotion reste vive, mais ce qui la cause reste flottant; bien plus : le rôle que l'une ou l'autre joue dans l'action du rêve reste à peu près le même, c'est-à-dire un rôle d'inhibition, ce qui explique ou motive la substitution.

La question des rêves risquerait de m'entraîner trop loin et je ne veux point trop m'y attarder. Pourtant, j'aurais beaucoup à dire. J'ai toujours été un insomnieux; du moins depuis mon adolescence, comme quantité d'intellectuels. C'est affaire de tempérament; ma fille a fâcheusement hérité cette infirmité. Je me souviens avec précision des quelques très rares fois où il m'est arrivé de traverser la nuit d'une haleine, si je puis dire, et de me retrouver, à ma surprise, le lendemain matin, tout éberlué du long temps écoulé dans une parfaite inconscience. C'était, par exemple, à Douarnenez, je crois, après avoir franchi à pied le Menez Home. Je m'étais endormi, chose extraordinaire, sitôt la tête sur l'oreiller, et, huit heures après... « Mais il fait jour!... » Je me sentais un peu volé; car on ne perd pas tout à fait son temps, en rêvant. Mais quelle fatigue, souvent! et qui s'aggrave par la conscience que l'on en prend. Ce sont souvent les soirs où je me sens le plus exténué, où je me dis : je vais m'endormir aussitôt, où j'ai le plus impérieux besoin de récupérer, de me refaire, que le sommeil aussitôt m'échappe à tire-d'aile; et je m'étonne, après la nuit blanche, de me sentir encore capable de vivre et d'œuvrer. J'en arrive souvent à m'étendre sur mon lit tout vêtu; je triche; je feins de lire et, sous la pleine lumière, le livre parfois me tombe des mains; je m'assoupis durant une ou deux heures : c'est autant de gagné. Les soporifiques, j'en use, mais le moins possible, redoutant l'accoutumance... J'avais pris cette habitude, ces derniers mois, de me relever, passé minuit, par impatience, et de tâcher de me remettre au travail, ou du moins à la lecture, jusqu'à trois ou quatre heures du matin. Alors, il m'arrivait de sombrer dans un sommeil épais ; mais dès avant sept heures, les bruits ménagers de la maison me réveillent. En revanche, et depuis des années, de une à trois, après le déjeuner, je fais la sieste. Je crois que c'est elle qui me permet de « tenir le coup » en dépit de la blancheur de mes nuits. Et j'en arrive à comprendre fort bien le régime des Balzac, et des Proust. Le docteur Boissier, qui me soignait à Lamalou (je n'étais qu'un enfant encore), me rendit le plus grand service en arguant de l'air le plus sérieux du monde : « Vous dites que vous ne parvenez pas à dormir plus de trois ou quatre heures par nuit. Tâchez donc de vous persuader que vous n'avez sans doute pas besoin davantage. » Tout réconforté par ces mots et moins inquiet, j'ai mieux dormi.

A l'ordinaire, l'après-midi, je plonge dans un sommeil profond. Je dors, ce qui s'appelle dormir. Mais, la nuit, il m'arrive de demeurer longtemps dans une sorte de torpeur entre le sommeil et l'état de veille. Et, depuis quelque temps, voici ce qui arrive. Accablé de fatigue, je m'étends sur mon lit sans me dévêtir. Je tâche de poursuivre une lecture dans l'espoir qu'elle m'amènera tout naturellement au dormir. Mon livre reste en pleine lumière et je ne me rends pas compte que mes yeux se ferment. Le surprenant, c'est que je continue à lire; non point le livre lui-même, mais une guirlande de mots imprimés, que j'invente à mesure, et que tout à la fois je lis et entends. Cela dure quelques minutes; parfois un quart d'heure. Alors, le livre me tombe des mains. Je me ressaisis soudain pour constater que le texte inventé n'a aucun rapport avec celui que me propose le livre, à quoi de nouveau je prête attention. Puis l'insensible substitution se renouvelle. Mais le surprenant est que ce que j'invente a tout de même un sens. Il m'est même arrivé d'inventer ainsi toute une suite de pages. Parfois, c'est une allocution que je prononce. Parfois même, c'est une partition musicale que je déchiffre, que j'exécute (et avec quelle surprenante virtuosité!). Tout à la fois je suis le texte et je l'entends. D'autres fois, c'est un texte comique, dont la drôlerie me surprend au point que c'est alors mon propre rire qui m'éveille. Et je me souviens d'avoir déjà parlé ailleurs de ceci, qui reste pour moi incompréhensible : que l'on puisse à la fois fournir soi-même tous les éléments de la surprise, et être surpris... N'empêche : tout cela reste bien fatigant; et je ne lis pas sans une sorte de jalousie ces lignes de Descartes (lettre à Balzac, 15 avril 1631) : « Je dors ici dix heures toutes les nuits, et sans que jamais aucun soin me réveille. » Après quoi je puis admirer tout autant le *Discours de la Méthode;* mais me sens en droit de penser : parbleu!

•

La page blanche s'ouvre devant moi.

Mon propos est d'y écrire n'importe quoi. Mais je sens aussitôt que je ne suis pas libre. Tout me tient et me retient. Il y a les maints soucis du jour. Il y a surtout l'élan de la veille : je suis mené; c'en est fait du hasard. Et je m'efforce de me convaincre qu'une chose complètement immotivée est (serait) une chose parfaitement insignifiante. J'avais usé, dans le temps, de ce que j'appelais des *interviews imaginaires*. Que n'en ai-je profité pour raconter ceci qui, peut-être, a plus flatté mon amour-propre que n'importe quel compliment que l'on m'ait jamais adressé. Au cours d'une excursion que, de Pontigny, nous avions accoutumé de faire à Vézelay, dirigés par Paul Desjardins, nous avions mis pied à terre à Avallon et nous étions arrêtés devant une boutique d'antiquaire où, parmi divers objets, figuraient quelques livres dits « d'occasion ». L'un de ceux-ci était, ô surprise, la première édition de ma *Porte étroite*, sous sa couverture bleue imitée de la seconde édition du *Faust* de Gérard de Nerval. Cette première édition était, en ce temps déjà, devenue rare et Desjardins était entré avec nous dans la boutique, avec l'intention d'offrir ce petit livre à une des étudiantes qui nous accompagnaient. Il tenait déjà le livre en main (j'étais près de lui) lorsqu'une très jeune fille, qui soudain me parut charmante, se précipita, toute rougissante, vers le bouquiniste et, d'une voix tremblante, mais très distincte, murmura : « Oh! je t'en supplie, papa... non, ne vends pas celui-là.»

Sitôt ensuite, je me suis dit que j'aurais dû prévenir Desjardins, acheter le livre et l'offrir, après l'avoir dédicacé, à cette exquise jeune fille qui semblait sortir d'un roman de Balzac. Mais je manque d'esprit d'à-propos à un point rare. Puis, c'eût été me nommer, remplir de confusion l'enfant, son père, l'étudiante, Desjardins et moi-même. Le bouquiniste reprit le livre : « Excusez-moi; ce livre a été mis là par erreur... » Nous repartîmes les mains vides; mais, moi, le cœur plein et, je le répète, je ne pense pas qu'aucune louange m'ait jamais ému à ce point.

Je la revois avec des nattes dans le dos. J'espère que je ne l'ai pas inventé... Oh! ce n'est pas du tout que je cherche à embellir une histoire; mais elle se simplifie spontanément dans mon esprit, jusqu'à ne plus laisser dans mon souvenir que l'essentiel. Je pense que certains romanciers doivent être gênés par la minutie de certains détails dont ils se souviennent, de sorte que l'indispensable y reste comme submergé. *L'érosion des contours*, dont parle si bien Nietzsche, caractéristique, dit-il, des écrivains classiques, s'opère en moi naturellement. Je me répète cela pour me consoler de mes déficiences, et, par optimisme, tourner à louange ce qui pourrait me désoler. Mais, tenez, j'ai parlé, dans ma *Porte étroite*, de la petite croix d'Alissa; croix d'améthystes, avais-je écrit. J'ai su plus tard que c'était une croix d'émeraudes. Je ne suis pas sûr d'avoir porté la modification dans les dernières éditions. J'invite mes lecteurs à le faire. Évidemment, cela n'a pas d'importance; mais à condition de ne pas être volontaire.

De grands pans de passé sortent ainsi du champ de ma conscience. C'est à douter si je les ai vraiment vécus. Ont-ils laissé quelques traces, c'est à mon insu. Heureusement, j'ai quelques amis, dont la mémoire est meilleure que la mienne. Mais il reste quelques tronçons que je ne parviens pas à rattacher les uns aux autres; qui pourtant portent, si j'ose dire, la même marque de fabrique, encore qu'à peu près effacée. En revanche, d'autres restent d'une vivacité quasi fulgurante : je me souviens non seulement des propos, des gestes, mais de la qualité même de l'air... Comme ce jour où l'auto nous déposa, Marc Allégret et moi, aux bords de cette étendue d'eau encombrée de végétations inconnues, où la double escorte de nos porteurs nous attendait; nous mîmes enfin pied à terre et, par un sentier si étroit qu'on n'y pouvait circuler deux de front, nous nous lançâmes sous l'épaisse frondaison de la forêt mystérieuse qu'il nous fallait traverser pour gagner le premier gîte d'étape. C'est un des instants de ma vie que je souhaiterais le plus de revivre. Nous pensions encore naïvement que tout irait de plus en plus étrange et que, plus nous nous enfoncerions dans la forêt, plus cette Brocéliande nous envelopperait de ses charmes. Nous n'avons, par la suite, rien trouvé de plus déconcertant... Mais pourquoi parler de cet instant plutôt que de tant d'autres! Il semble alors que le temps s'arrête. Ou du moins, l'on voudrait qu'il s'arrêtât. Mais les heures les plus insignifiantes n'ont ni plus ni moins de durée que les autres, si difficile qu'il soit de s'en convaincre. Qui plus est, l'on sait aujourd'hui que la matière cérébrale reste, par elles, impressionnée comme par les autres, par celles qui laissent des traces conscientes; et l'on connaît les moyens chimiques de redonner vigueur passagère à des images que l'on supposait oubliées. Oh! que la faculté d'oubli me paraît précieuse! et ce choix, quasi involontaire, instinctif du moins, nécessaire au dessin de la figure humaine, celle avec laquelle nous devons entrer plus ou moins avant dans la vie, puis quitter la vie avec le moindre bagage. Qu'ai-je affaire de tant d'encombrement?

J'ai connu tels êtres (ils sont nombreux) chez qui tout est apport; tout le paraît du moins, car il est inadmissible qu'il n'y ait pas en eux tel minuscule substratum autour de quoi vienne s'agglutiner l'acquêt. Mais chez eux, rien d'involontaire; ils sont construits de pied en cap. Ils disent : je déteste ceci; j'adore cela; et l'on sent que cela n'est pas vrai. Tout est cousu, et pour peu que l'on tire sur le fil, le fil cède et la pièce tombe; leurs sentiments sont motivés et plus ils protestent de leur amitié, moins il sied d'y croire. J'aime ceux qui ne savent pas trop pourquoi ils aiment, ce qu'alors ils aiment vraiment.

Les premiers font d'assez bons héros de mauvais romans. Car il n'est jamais malaisé, pour un romancier, de façonner un personnage parfaitement conséquent avec lui-même. La réalité nous présente de plus fréquentes inconséquences, ou pour le moins des conséquences moins apparentes.

C'est par où Balzac m'intéresse moins que Dostoïevsky. Tout ceci soit dit en passant, et sans qu'il soit permis d'en induire que je tiens Balzac pour un médiocre romancier : tout au plus dirai-je qu'il construit à l'excès ses personnages et se laisse trop rarement surprendre par eux.

Une bonne plume est pour moitié dans le plaisir que je prends à écrire. Au printemps avant-dernier, je me suis offert un dictaphone. Je n'ai pas encore su m'en servir. Et pourtant, tout ce que je consigne dans ces carnets devrait émaner tout de go de mon cœur et de ma cervelle, sans apprêt aucun. Devant cette caisse enregistreuse, il ne me vient à l'esprit que des niaiseries dont j'aurais honte, et d'avance je les juge sévèrement. Ce que je souhaiterais confier au dictaphone, ce sont des dialogues. J'attends encore l'occasion. Il en est de prestigieux. Mais le temps de dresser l'appareil, de s'installer soi-même et l'interlocuteur consentant...

Ce que nous souhaiterions d'avoir, ce ne sont pas tant des monologues de grands hommes, fussent-ils des Racine ou des Pascal, que des entretiens de ceux-ci, des discussions entre Montaigne et La Boétie, des causeries « à bâtons rompus » entre Racine, La Fontaine et Boileau, voire même avec le Père Bouhours, semblables à l'interview, si admirablement noté, de Bernardin de Saint-Pierre en visite chez Jean-Jacques. C'est là ce qui nous instruirait vraiment. Mais tout sombre dans le passé; même ce que nous prenons aujourd'hui soin de noter.

Je ne songe pas sans terreur à l'amoncellement des « nouveautés » dans la Bibliothèque Nationale. Un jour viendra, qui peut-être n'est pas loin, où quelque effroyable cataclysme fera de tout cela de la cendre. Et ce qui survivra peut-être ne sera pas nécessairement le meilleur. D'après quelles épaves notre civilisation, notre culture, sera-t-elle appréciée plus tard? D'après Rodin, ou d'après Dufayel? J'ai commis cette grave erreur, lorsque j'étais jeune et en mesure d'acheter, de supposer que les livres, que je déplore aujourd'hui de n'avoir pas dans ma bibliothèque, se retrouveraient toujours et qu'il suffirait de les demander au libraire. Mais allez donc chercher à vous procurer aujourd'hui la collection, devenue si précieuse, des pièces rééditées par la *Mermaid!* Et la petite collection des Dickens, des Meredith, des Hardy — pour ne parler que des Anglais. Enfin, une excellente réédition des Renan permet un peu d'espace sur les rayons surchargés. De même pour les livres de la *Pléiade*, qui, du reste, sont devenus assez rares, certains du moins, presque aussitôt. Mais je tiens en fait qu'un jeune étudiant d'aujourd'hui a du mal à vraiment s'instruire. Un pays sérieusement soucieux de ses traditions, de sa culture, comme devrait être le nôtre (en attendant le cataclysme exterminateur), devrait faire davantage pour l'aider. S'il doit, pour lire un classique, se priver d'un repas, on comprend qu'il y regarde à deux fois. Et lentement, mais sûrement, c'est la barbarie qui triomphe. Du temps de mon enfance, nous ne connaissions pas notre bonheur. O paradis perdus! et dire qu'il en est de moins en moins qui les regrettent! Ce n'est le plus souvent que lorsqu'on est privé de quelque avantage que l'on commence à en estimer la valeur. Mais je ne parle ici, précisément, que de valeurs inestimables. Non! décidément, je ne suis pas gai tous les jours...

Si je le laisse voir, c'est pour me rapprocher du lecteur; car je n'éprouve pas le besoin d'étaler ma plainte. Je crois qu'un des principaux motifs de ma propre désolation (pour ne point parler de celle due aux événements extérieurs) est l'inconsciente facilité avec laquelle nous nous laissons déposséder; nous lâchons prise. Notre étreinte ne saurait être si large qu'elle ne doive laisser tomber quantité de biens qui font partie (qui faisaient partie du moins) de notre patrimoine; mais cela ne comporte aucun choix. Soudain, une génération se déprend de certains maîtres, parfois excellents. Que se passe-t-il? Rien d'absurde comme ces prétendues lois que certains ratiocinateurs ont cherché à établir; lois selon lesquelles chaque auteur devrait faire, presque sitôt après sa mort, un plongeon dans un oubli momentané. Dans leurs supputations, la question de la valeur de l'œuvre n'intervient, autant dire, jamais. Ces prétendues lois ont été inventées par charité; par politesse; par amour-propre aussi, plutôt que d'avouer : force est bien de le reconnaître aujourd'hui : en dépit de tous nos articles d'éloges intempestifs, l'œuvre de M. X. ne vaut rien; nous nous étions trompés sur sa valeur. Or, précisément, j'estime qu'une des plus remarquables vertus de la *N. R. F.* d'autrefois, c'est de ne s'être presque jamais trompée sur la réelle valeur des auteurs dont elle avait à parler. On ne m'en fera pas démordre : une saine critique, à la fois créatrice, animatrice et protectrice, accompagne nécessairement, durant les périodes les plus prospères, les plus hautes productions de l'esprit. Et ceux qui prétendent déprécier la critique au profit d'on ne sait quoi de panique et de hagard sont des niais. N'empêche qu'il importe de ne jamais laisser en repos (ou : se reposer sur) les soi-disant préceptes qu'elle nous impose. (Je préférerais : ne jamais s'en laisser imposer par ceux-ci.)

Il ne me paraît pas qu'en aucun pays la critique ait été mieux exercée qu'en France. Je devrais remplacer mon « mieux» par « davantage », de manière à expliquer par un glissement naturel certain tarissement poétique (lequel j'admire l'Angleterre de n'avoir pas connu : il ne me paraît pas contestable que Pope ait été un plus important poète que Boileau).

L'inconvénient de ces ratiocinations, c'est qu'elles demeurent nécessairement infinies. Or, c'était une des majeures commodités du *Journal* : le genre même autorisait la fermeture de la bonde avant le tarissement du flot. Il n'y a pas lieu d'y revenir et je sens bien que si je recommence à inscrire des dates en regard de ce que je prétends écrire d'une manière continue, je retombe aussitôt sur les mêmes écueils.

Mais puisque ceci n'est pas un *Journal*, je veux profiter de la licence de cet écrit pour reparler (j'y prends plaisir) de l'admirable enfant qui fit partie de notre escorte, lors de notre traversée du Cameroun. J'ai déjà dit quelques mots de lui dans la relation de mon *Voyage*, mais fort insuffisants, et ne me console pas de la négligence de Marc A. qui eût si bien pu prendre sa photographie. Elle eût retenu mon imagination de divaguer un peu, comme il advient faute de repères... En plus de l'escorte obligée de nos porteurs, le sultan Reï Bouba, sans nous avertir, avait joint à ceux-ci deux jeunes pages pour la seule figuration. Le fait était sans précédents, mais justifiait sans doute la grande réputation d'obligeance que les récits des voyageurs nous avaient déjà transmise. Toutefois, cette obligeance était fondée sur un tout autre plan. La grande bienveillance du sultan Reï Bouba, guidée sans cesse par une intelligence supérieure, avait su faire de son sultanat une sorte d'État favorisé, d'enclave au milieu d'une région islamisée, mais demeurée assez primitive. Que les importantes dispositions morales et sociales instaurées par le sultan remportassent toujours l'approbation de nos autorités françaises, il ne m'appartient pas de l'affirmer (et du reste, ce que j'en ai pu voir remonte à 1925; bien des choses ont pu changer depuis). Ce que je puis dire, c'est que les citoyens de ce petit pays respiraient, lorsque nous le traversâmes, la félicité, la joie de vivre. Nous eûmes le regret de ne pouvoir nous y attarder. Ayant pris congé du sultan dans la soirée, nous nous acheminâmes vers N'Gaoundéré le lendemain, d'assez bonne heure, et notre surprise fut vive de remarquer bientôt, parmi nos porteurs, deux très jeunes gens dont la seule fonction semblait être de nous faire escorte. J'ajoute aussitôt qu'ils étaient des plus beaux qui se pussent voir, créatures de luxe. Certainement, le sultan les avait choisis. Chacun d'eux cheminait un peu à l'écart, comme tout à la fois faisant partie de notre troupe, mais ne s'y mêlant pas : comme ne daignant pas s'y mêler. Du reste, ne conversant presque pas l'un avec l'autre. Moins pour l'occuper que pour lui prêter une sorte de raison d'être, nous avions décidé de confier au plus jeune la cage inoccupée de Din'diki; en plus de quoi, il portait, ainsi que son aîné, en bandoulière, un arc quasi enfantin et, sur son dos, comme Cupidon, un carquois avec quelques sagettes. Tous deux coiffés d'une sorte de toque. Une ceinture de cuir maintenait relevé à mi-cuisse nue le blouson du plus jeune. Tous deux semblaient descendus de la fresque du Campo Santo de Pise, prêts à participer aux *Vendanges* de Benozzo Gozzoli. La marche, du plus jeune surtout, tenait du bondissement de la danse; c'était Nijinsky : la joie du muscle devient apparente et, nous, spectateurs, y participons. Il est certain que ce n'est pas pour cette seule joie du regard que le sultan nous avait prêté ses deux pages. C'est ce que je ne cessais de me redire durant trois jours. Je pris enfin le parti de m'en ouvrir à mon fidèle Adoum. Mais, avant d'aller plus loin, je crois bon d'ouvrir une parenthèse.

Il ne me paraît guère possible que Reï Bouba ait été avisé de mes goûts. Ceux-ci eussent-ils été différents, ainsi que l'étaient ceux de Marc, le sultan eût-il volontiers distrait pour nous, de son sérail particulier, deux femmes qui nous eussent accompagnés au cours de ces longues étapes ? Que l'on me permette d'en douter. Et pour risquer quelles complications de tous ordres ! Ces deux adolescents, eux, n'engageaient à rien, non plus le sultan que nous-mêmes. Libre à nous de les ignorer ; et c'est ce que fit mon compagnon. Mais comme je voyais de sa part (je veux dire : de la part du sultan) une très gracieuse prévenance, il me parut peu décent de paraître la dédaigner. Les pages eux-mêmes semblaient s'affecter de notre peu d'attention, de n'être pas plus remarqués : leur joyeuse bonne grâce fanait de jour en jour. Eh quoi ? C'était là le cas qu'on faisait d'eux ? De sorte que, le quatrième matin, n'y tenant plus, toute vergogne bue, je demandai à Adoum le moyen de m'y prendre; car enfin je n'étais jamais seul : le moindre de mes gestes avait pour témoin la pleine cohorte des porteurs... Adoum eut quelque peine à s'expliquer ma gêne : il m'affirma qu'il n'y aurait pas un de ces porteurs qui ne trouvât tout naturel que je demande, un soir, à l'un des deux pages de « venir faire pankas » sous ma moustiquaire. Ajoutons vite que le tulle d'une moustiquaire est complètement imperméable aux regards. Ajoutons aussi que la chaleur était étouffante, au point que le souhait d'éventer le sommeil par les battements d'un pankas pouvait paraître presque naturel. Ajoutons enfin que ce qui paraissait surtout naturel, c'était ce que l'expression : « venir faire pankas » signifiait en réalité; de sorte qu'il n'y eut personne de notre troupe pour s'en étonner. Et pour achever de mettre en déroute tout essai de dissimulation, Mala (c'était le nom du garçon) commença par laisser dans un tub, sous des flots d'eau tiède, la sueur et la poussière d'une longue étape, ainsi que je venais de faire moi-même. Gentil Mala ! sur mon lit de mort, c'est ton rire amusé, c'est ta joie, que je voudrais revoir encore.

Peu m'importe si ces paroles scandalisent certains, qui les jugeront impies. Je me suis promis de passer outre. Mais je voudrais être plus assuré que je ne le suis, que moi-même, s'il m'arrive de les relire, je ne m'en trouverai pas gêné. Est-ce vraiment autour de ce qu'il y a de moins spirituel en moi que se rassembleront mes ultimes pensées ? alors qu'il serait temps encore, peut-être, de les offrir à ce Dieu qui m'attend, dites-vous, et auquel je me refuse de croire. Dans un instant, la partie sera jouée sans retour possible. C'en sera fait, et pour l'éternité. Eh ! c'en est fait depuis longtemps déjà, suis-je tenté de répondre, et de désavouer par avance toute palinodie que pourrait obtenir de moi le désarroi de l'agonie. Mais je voudrais aussi bien protester contre une limitation excessive que l'on serait tenté de voir dans cette profession de matérialisme; je ne m'y cantonne pas dans la seule jouissance charnelle : celle-ci m'invite à me fondre et confondre dans la nature environnante. C'est bien aussi pourquoi mes souvenirs de volupté les plus parfaits sont ceux qu'accompagne l'enveloppement d'un paysage qui l'absorbe et où je me paraisse me résorber. Dans celui que je viens d'évoquer de ces transes auprès de Mala, ce n'est pas seulement le beau corps pâmé de cet enfant que je revois, mais tout l'alentour mystérieux et formidable de la forêt équatoriale.

Lors d'un mémorable entretien nocturne (il n'y en eut pas tant que je ne puisse me souvenir de chacun), Proust m'expliqua sa préoccupation de réunir en faisceau, à la faveur de l'orgasme, les sensations et les émotions les plus hétéroclites. La poursuite des rats, entre autres, devait trouver là sa justification; en tout cas, Proust m'invitait à l'y voir. J'y vis surtout l'aveu d'une sorte d'insuffisance physiologique. Pour parvenir au paroxysme, que d'adjuvants il lui fallait! Mais qui servaient, indirectement, pour ses livres, au prodigieux foisonnement de leur touffe.

On veut que je sois l'ennemi de Claudel. Qu'il se doive d'être le mien, ce n'est pas du tout la même chose. Il ne me déplaît pas qu'il prenne position contre moi. Quel curieux état d'esprit que le sien! Il n'admet en regard de l'Église que d'insignifiantes foutaises. Pourtant pas si bête qu'il ne comprenne... Comprenne quoi? Que ce qu'il tient pour la Vérité n'a pas pour seul ennemi l'infatuation de l'esprit. Mon admiration devant certaines flammes de son génie reste la même qu'au temps de ma jeunesse, et ses plus insultants dénis ne peuvent en rien la modifier. Lui seul devrait en être gêné. D'autant plus que le catholicisme triomphateur qu'il incarne n'irrite pas les seuls incrédules. Claudel prétend gagner sur tous les tableaux. Qu'un Bernanos, profondément chrétien et douloureux, s'en indigne, qu'il doute qu'on puisse se rendre au paradis en Pullmann, quoi de surprenant ? Rien ne m'est plus étranger que cet esprit de domination de Claudel. Son lyrisme trouve aliment dans sa croyance ; c'est pourtant lorsqu'il se passe de celle-ci qu'il me paraît le plus grand, ne lui déplaise ; et moins grand lorsqu'il cherche des accommodements. Certaines de ses interprétations des livres saints sont absurdes, burlesques, et si bien faites pour rebuter, qu'on lui sait gré de les mettre en avant à la manière de garde-fous avertisseurs : ne nous laissons pas entraîner, fût-ce par sympathie, sur cette route.

Si les *Caves* remportent demain quelque succès, Claudel s'indignera ; non tant contre le livre ou la pièce que contre le public, comme il put faire au moment du prix Nobel. Étant bien prouvé par « les Écritures » que je n'ai aucun talent et que je ne saurais en avoir aucun, toute attention que l'on m'accorde ne peut être due qu'à l'intrigue. La Foi n'a pas à se soucier des crocs-en-jambe qu'elle est appelée, nécessairement, à donner à la vérité (je devrais dire : aux vérités, puisque la Vérité, c'est l'Église qui la détient). « Clique protestante », disait Claudel en parlant du jury Nobel. Grande analogie avec le culte communiste; l'on n'entre dans la maison sans laisser à la porte, d'abord, jugeote, bon sens et esprit critique; toute liberté de pensée.

Je m'interromps pour souffler un peu. A dire vrai, ce qui m'interrompt, c'est la représentation des *Caves du Vatican* au *Théâtre-Français*. Tout se passe à ravir, en dépit de ma fatigue excessive. Un dévouement parfait récompense mes moindres efforts. Je me sens soutenu, encouragé, souvent guidé par M. Touchard, l'administrateur, près de qui j'ai plaisir à m'asseoir durant telles dernières répétitions et qui ne me donne aucun conseil qui n'aille exactement « dans mon sens », de sorte que je trouve profit à le suivre. Quant à Jean Meyer, je ne pouvais souhaiter animateur et interprète plus souple, plus intelligent; déférent presque à l'excès; à la fois entrant dans son rôle et le dominant assez pour survoler toute la pièce... Je n'en finirais pas de le louer. Et j'en voudrais dire autant de chacun des interprètes, qui m'amenait à penser que le sentiment qui jaillit le plus volontiers de mon cœur, c'est celui de la reconnaissance. Elle me submerge un peu et j'ai parfois quelque mal à ne pas la laisser trop paraître dans une effusion excessive. Pour un peu, elle pourrait paraître sénile. Mais ce n'est pas affaire d'âge : je sais que ma fille Catherine a, elle aussi, le même effort à faire, non point tant pour refouler des larmes que pour réprimer le sanglot qui l'étrangle devant quoi que ce soit qui échappe à la commune veulerie; quoi que ce soit où se manifestent la noblesse, la grandeur, la dignité humaines. Je me souviens, remontant loin en arrière (c'était en..., à la Brévine, où j'écrivais *Paludes*, où mon ami

Eugène Rouart était venu passer près de moi quelques jours). Un matin, il me dit avoir surpris une phrase que je formulais, durant mon sommeil, avec une conviction pathétique, à voix très haute, de sorte que je l'avais réveillé, encore qu'il dormît dans la chambre voisine : « Oui! oui! oui! Les hommes sont admirables. » Nous pûmes en rire le lendemain, mais ces paroles inconscientes révélaient le fond secret de ma pensée. « Noblesse, dignité, grandeur » ... ces termes, j'ai crainte et presque honte à m'en servir, tant on abusa d'eux sans vergogne. Extorqués comme ils sont aujourd'hui, on dirait presque des mots obscènes; comme, du reste, tous les mots nobles : à commencer par le mot vertu. Mais ce n'est pas les mots seuls qui se sont avilis, c'est aussi ce qu'ils veulent dire : la signification de ces mots a changé et leur dévalorisation ne fait que rendre flagrante la faillite générale de ce qui nous paraissait sacré, de ce qui nous invitait à vivre, de ce qui nous sauvait du désespoir. Le chrétien s'en tire, nous le savons;

et le musulman, et tous ceux qui consentent à croire, en fermant les yeux, à quelque pouvoir surhumain, à quelque dieu affairé de chacun de nous. C'est par simple raison humaine que certains ne peuvent admettre cette consolation trop facile. Dès lors, c'est en eux-mêmes, c'est en soi seul, qu'il importe de chercher et trouver le recours. Et lorsqu'il y entrerait un peu d'orgueil, celui-ci ne sera-t-il pas légitime? et le sentiment austère et noble du devoir dignement accompli, de la restauration en soi de ce que peut un homme; de ce qui fait que le supplicié peut penser devant le bourreau : c'est toi, la victime.

Oh! parbleu! je sais bien que j'en parle à mon aise, tranquillement assis loin du combat; mais est-ce lorsqu'elle est contrefaite et contrainte, que la pensée mérite d'être propagée? Ce que j'écris à présent librement, je veux qu'on l'oppose demain à ce que l'on pourra peut-être me forcer à dire. Car je ne sais pas du tout si ma débile chair est de celles qui font l'étoffe des martyrs. Et puis, ils ont de si habiles moyens, aujourd'hui, pour saper la volonté même et faire du héros un instrument docile et déchu !

Et puisque je suis interrompu, je voudrais m'expliquer un peu. Car enfin, il ne faudrait pas que l'on s'y méprît : je continue de noter dans ce carnet tout ce qui me vient en tête. Or, presque rien n'y paraît des effroyables événements qui bouleversent tout l'alentour et menacent de changer la face du monde : est-ce à dire qu'ils me laissent indifférent ? Valéry, dans son système clos, a beau jeu d'écrire : « Les événements ne m'intéressent pas » ; et j'entends fort bien ce qu'il veut dire par là. Il n'en va pas pour moi tout à fait de même. Je prends intérêt, je prétends même parfois prendre part à « ce qui arrive » ; mais, à vrai dire, il faut bien que je l'avoue : Je ne parviens pas réellement à y croire. Je ne sais comment expliquer cela, qui, je pense, pour un lecteur très perspicace, doit déjà ressortir de mes écrits (et que j'ai, du reste, explicitement noté parfois) : je ne colle pas, je n'ai jamais pu parfaitement *coller* avec la réalité. Il n'y a même pas, à proprement parler, dédoublement qui fasse que, en moi, quelqu'un reste spectateur de celui qui agit. Non : c'est celui même qui agit, ou qui souffre, qui ne se prend pas au sérieux. Je crois même que, à l'article de la mort, je me dirai : tiens! il meurt. Alors la misère d'alentour peut venir, de plus en plus près, assiéger ma porte : je suis aussi ému par elle que l'on peut être (et parfois même, parfois, je crois, plus que s'il s'agissait de moi) et je m'en occupe et préoccupe; mais cela ne prend pas son rang dans les choses réelles. Je crois qu'il faut rattacher cette déficience (car évidemment c'en est une) à ce que je disais plus haut : celle du sentiment du *temps*. Quoi que ce soit qu'il m'advienne, ou qu'il advienne à autrui, je le mets aussitôt au passé. De quoi fausser gravement le jugement sur les événements appelés à devenir historiques. J'enterre les gens et les choses, et moi-même, avec une facilité déconcertante : je n'en conserve (oh! malgré moi) que la signification. Et, du train dont va le monde, je me dis et me répète sans cesse que ces ratiocinations pourront bien être, avant qu'il soit longtemps, balayées avec tout le reste. Mais je ne les écris pas moins, tout comme la petite Hauviette dans la *Jeanne d'Arc* de Péguy déclare que, si le dernier jour était imminent, si « l'ange commençait à sonner de la trompette » elle continuerait ni plus ni moins à « jouer aux boquillons », comme si de rien n'était.

Nous sommes les témoins et les acteurs, aujourd'hui, d'une immense farce tragique dont nul ne sait ce qui pourra sortir. Nous avons été saoulés d'horreur et la farce n'est pas près d'être achevée. Devant des milliers d'êtres, le problème s'est posé : mon devoir est-il de dire non, ou oui ? Il se pose encore, avec cette atroce certitude que leur acquiescement ou leur refus n'importera guère. Mais ce qui importe, c'est chacun d'eux, pris isolément. Il importe pour chacun d'eux de pouvoir mourir satisfait de soi et sans s'être renié soi-même. Si le problème se posait également pour moi, soudain, je ne saurais comment le résoudre... et retournerais « jouer aux boquillons » en attendant d'y voir plus clair.

Quelques mots encore, pourtant. A Cuverville, la jeune femme de notre jardinier, Marius, vint à mourir. Il était très jeune encore lui-même et je m'étais attaché à lui beaucoup plus qu'à aucun autre serviteur, d'autant plus qu'en ce temps, je m'occupais beaucoup du jardin, de sorte que je l'aidais quotidiennement dans son travail. Il se montrait extrêmement affecté par son deuil, auquel j'étais moi-même très sensible, car on ne pouvait imaginer jeune épouse plus avenante, ni ménage plus tendrement uni. Nous nous rendîmes à quelques-uns à la petite ferme voisine, où la morte reposait entourée de fleurs et de buis bénit. Marius se tenait au chevet du lit, debout, immobile, comme figé dans une attitude très digne. Je lui serrai la main sans rien dire, trop ému pour pouvoir parler. Je ne sais comment expliquer que ma femme ne fût pas là; mais sans doute était-elle venue avant nous. Sa sœur

Jeanne Drouin commença de parler à Marius et trouva dans son cœur quantité de phrases merveilleuses, ou du moins qui me parurent telles, dites exactement du ton qu'il fallait, apportant à la fois pitié, consolation, espérance : la jeune femme l'attendait au paradis où, dès à présent, elle avait pris sa place parmi les anges; elle pensait à celui qu'elle avait laissé, qu'elle ne cessait point de regarder, d'aimer, de protéger, de surveiller, tout en chantant de beaux cantiques... Et j'admirais que la religion permît cette effusion sincère, alors que toute mon amitié pour Marius ne me fournissait rien à donner, et que je ne trouvais rien à dire. Quant à savoir ce que pouvait penser Marius?!...

J'admire toutes les formes de la sainteté (encore que certaines me soulèvent le cœur), mais Claudel a bien fait de m'instruire, par l'étonnante lettre qu'il m'écrivit au sujet de ma *Porte étroite*, dénonçant l'hérésie protestante dans ce fait d'aimer le bien indépendamment de la récompense promise. Il précisa par la suite, dans une conversation, que le catholique doit humblement aimer et pratiquer la vertu *parce que...* et c'était mon orgueil de huguenot qui répugnait au marché, à la partie liée avec Dieu : au donnant-donnant. Les premiers temps, je fus surpris, presque indigné, devant cette sorte de comptabilité. Elle m'aida, par la suite, beaucoup à y voir clair, et que tout le système des indulgences et des « faire son salut » en dépend. Mieux valait rompre, et c'est ce que je fis.

Il y a là deux mondes distincts. J'imagine volontiers Noé, dans son arche, écrivant l'*Éthique* ou le *Discours de la Méthode*, tout comme si les flots adverses ne recouvraient pas l'univers. On s'étonne parfois du peu de retentissement qu'eurent les conquêtes de Napoléon sur l'état des Lettres françaises. De nos jours, les cloisons sont moins étanches, mais je doute qu'il y ait à s'en féliciter. Chacun de nous trempe plus ou moins dans cette angoisse générale dont il peut sembler monstrueusement égoïste de chercher à se préserver.

Les écrits d'aujourd'hui (et je parle même des meilleurs) en subissent une sorte de contamination que, pour ma part, je crois dégradante. La peste ravageait Florence et chaque jour apportait de nouveaux sujets de deuil, tandis que Boccace écrivait son *Décaméron*. Je ne songe pas à me réfugier dans une agréable villa de Fiesole, de manière à pouvoir contempler d'en haut et tout impunément le fléau. Non certes : si les événements m'y poussent, me voici prêt à les affronter. Je tâcherai de ne point me déshonorer, de ne point trop trembler devant l'horreur. Mais ne me demandez point de fausser ma voix et d'introduire dans mes écrits des trémolos par opportunisme...

Que dire de plus ? Que tout ce que j'écris ici me paraît sans valeur aucune, car je ne parle que de calamités d'ordre général, tandis qu'il n'y a que des cas particuliers, en dépit de ce que voudrait le communisme. Je crois que cela est vrai surtout pour la France et pour l'Angleterre, et que l'Allemagne, tout de même que la Russie, s'uniformise beaucoup plus aisément et « sans douleur », que nous ne saurons jamais faire. Je crois aussi qu'une idéologie collective est plus facilement applicable partout ailleurs que chez nous. Mais, même idéologique, les événements nous persuadent que le grand rassemblement russe, ce n'est pas du tout autour de l'idée de socialisme théorique qu'il a pu et qu'il peut encore s'accomplir, mais bien grâce à la restauration de l'idée de patrie. Oui, de patrie, avec tout ce que cela comporte et que l'on prétendait balayer, y compris l'idée religieuse; et Staline ne s'y est pas mépris.

Je cède moi-même à cette contamination que je dénonçais tout à l'heure... et, pendant que j'y suis, comment continuer à prendre au sérieux l'assertion de Pascal : la vérité de quelque opinion que ce soit prouvée par le don de sa personne? Dans un conflit, on se fait tuer des deux côtés, et sans que cela *prouve* rien du tout. Dans ce cas, je préfère Galilée avec son : « Eppur si muove. » On voudrait pourtant tellement savoir et se convaincre que son propre dévouement (celui de n'importe quel petit soldat) serve du moins à quelque chose. C'est là qu'un peu de mysticisme serait le bienvenu.

Je donnerais ma vie pour que le bon Dieu soit. Oui, cela va bien; mais : je donne ma vie pour prouver que le bon Dieu est, voici qui ne va plus du tout; voici qui ne veut plus rien dire. Mais nous ne sommes plus aujourd'hui sur un plan théosophique. Des milliers de gens sont prêts à donner leur vie pour amener un meilleur état des affaires terrestres : pour plus de justice, pour une répartition plus équitable des biens matériels; je n'ose ajouter : pour plus de liberté, parce que je ne sais pas très bien ce que l'on entend par là.

En tout cas, ce n'est pas du tout rester indifférent que de se maintenir tranquille. Ceux qui m'approchent le savent bien. La seule question que je sois en droit (j'allais dire : en devoir) de me poser : A quoi puis-je être utile? Car c'est là que nous en sommes : parmi cette détresse universelle, ou qui du moins n'épargne que des privilégiés, qu'un *happy few* dont on se refuse à faire partie ou dont on fait partie à sa honte, comment diminuer un peu cette détresse ? Le problème est là, devant lequel je sais et sens que je ne peux à peu près rien. Durant la précédente grande guerre, j'avais pris le sage parti de me taire et de consacrer tout mon temps au secours des réfugiés ; du moins, cela me retenait de penser à autre chose. Les libéralités américaines affluaient vers nous ; nous n'étions que des dispensateurs ; mais l'examen de chacun des cas de détresse nous occupait jusqu'à ne nous laisser aucun loisir. Je ne pense pas qu'il eût été possible de s'occuper d'autrui avec plus de zèle et de conscience que nous ne fîmes à quelques-uns durant des mois. Oserai-je parler cyniquement : les misères que nous secourions étaient, à peu d'exceptions près, fort peu intéressantes. Je veux dire que la misère seule requérait notre attention, notre sympathie, sur les épaves lamentables qui se proposaient à nos soins. Quelle école de misanthropie! parfois, mais bien rarement, une lueur nous retenait de penser : à quoi bon? Ceux à qui nous donnions les moyens de vivre nous paraissaient presque tous de lamentables déchets d'humanité. Ajoutons aussitôt que presque chacun d'eux se présentait sous l'aspect le plus défavorable, sous le jour le plus désobligeant. Il m'arriva parfois, lors de visites domiciliaires, de découvrir, à côté des quémandeurs, des misères plus authentiques qui, par pudeur, par respect humain, répugnaient à se laisser voir; c'est aussitôt vers ces derniers que nous dirigions tous nos soins. Mais même alors, que nous était-il permis de connaître? que des sous-produits de la guerre : sortes de moraines érodées qui bordent les côtés d'un glacier. En ce temps-là, il n'y avait pas encore ces brassages de peuples entiers, ces camps de concentration, ces inhumaines atrocités que nous offrit la guerre suivante. Durant les premiers mois de celle-ci, m'occupant exclusivement de fournir aux bannis politiques les moyens de fuir en Amérique, je fus aussitôt en présence de gens que seul souvent le sentiment de la dignité humaine retenait de se soumettre et de conserver en Allemagne une situation confortable, lorsque la question raciale n'entrait pas en jeu. (Encore devais-je me prémunir de toutes les précautions que pouvait me fournir la police secrète, car l'espionnage était sans cesse à craindre.) N'importe : c'est à une élite que j'avais affaire; la passerelle que j'étais à même d'offrir, je la tendais à des gens qui méritaient d'être sauvés; j'en avais la preuve. Il s'agissait de cas individuels; rien n'était au contraire plus décevant (à quelques rares exceptions près) que cette générosité quasi indistincte, en dépit de tous les moyens de contrôle qu'inventait notre effort d'équité, notre besoin de discrimination. La question se posait à moi sans cesse : quel service peut apporter à la société cet être veule et informe en qui je ne parviens à discerner encore (je prospecte en vain) la moindre étincelle sacrée... N'importe : j'avais inglorieusement assumé une besogne, aussi peu spectaculaire que je la pouvais souhaiter, que je tenais à cœur de remplir ponctuellement jusqu'à extrémité de contrat moral et c'est ce que je fis sans défaillances, encore que jusqu'à la nausée; mais il m'importait de me prouver à moi-même que j'étais quelqu'un sur qui l'on pouvait compter.

Plus impérieuse encore se posait à moi, se pose encore sans cesse, la question : Quel est, quel peut être, mon meilleur service? Que mes écrits soient là pour y répondre, il va sans dire; mais je voudrais un peu préciser. Car c'est une chose d'écrire; c'en est une autre de publier. Or deux fois, tout au moins, dans ma carrière, ce que j'avais cru devoir écrire était de nature à laisser quelque doute sur l'opportunité d'une publication non différée. C'était à propos de mon rapport sur mon voyage en U. R. S. S.; c'était à propos de *Corydon*. Dans un cas aussi bien que dans l'autre, je n'avais rien écrit que d'exact;

et particulièrement pour l'U. R. S. S., les événements ne donnèrent, par la suite, qu'une trop pleine confirmation de ce que j'avançais. « Oui, vinrent me dire certains amis, demeurés communistes et même staliniens convaincus ; oui, nous savons, nous ne savons que trop, que vous ne dites rien que nous ne soyons contraints à reconnaître pour vrai. Mais vous faites, en le divulguant, le jeu de nos pires ennemis, qui du reste sont aussi les vôtres... Attendez que les événements rendent votre publication opportune. » Il ne fallait pas être bien perspicace pour pressentir, et à coup sûr, que cette opportunité ne se présenterait jamais. J'omets l'autre argument, que l'on (et Claudel en particulier) brandit au sujet de *Corydon* et que j'appelle l'argument honteux : « Vous allez vous faire du tort. » Eh! parbleu je n'en doutais pas et ne me faisais aucune illusion non plus sur le déchaînement de haine que la publication de mon *Retour de l'U. R. S. S.* allait nécessairement provoquer. Je risquais ma tranquillité, dans l'un comme dans l'autre cas; mais il est certaine forme de confort moral qu'il me semble que je payais trop cher, si c'était aux dépens de la véracité. Je me suis expliqué longuement là-dessus, aussi bien pour le *Retour de l'U. R. S. S.* que pour *Corydon;* j'ai même raconté la visite de Maritain qui vint me demander de renoncer à la publication d'un livre qui, m'affirmait-il, risquait de troubler, de pervertir, de perdre des âmes insuffisamment ancrées dans les Vérités de l'Église. J'avais affaire à un convaincu, dont la sincérité aurait dû m'émouvoir si, de mon côté, je n'avais pas été tout aussi convaincu que j'avais eu raison de l'écrire et que j'avais raison de le publier. Je crois pouvoir le dire aujourd'hui : si j'eusse acquiescé, je ne me le serais pas pardonné : j'eus maintes preuves, par la suite, que ce petit livre avait sauvé du désespoir maints éperdus.

Alors j'en reviens à cette question du meilleur service. Il est certain que celui qui se demande, au moment de saisir sa plume : Quel service va pouvoir rendre ce que je m'apprête à écrire? n'est pas un écrivain né et ferait mieux de renoncer aussitôt à produire. Vers ou prose, son œuvre est d'abord née d'une sorte d'impératif auquel il ne peut se soustraire; c'est l'effet (je ne parle plus à présent que de l'écrivain, poète ou prosateur authentique) d'un jaillissement; quasi involontaire, artésien pour ainsi dire, où la raison, l'esprit critique et l'art, n'interviennent qu'en modérateurs. Mais il peut se demander, sitôt la page écrite : à quoi bon?... Et, si j'en viens à moi, je crois que ce qui m'a surtout poussé à écrire, c'est un urgent besoin de sympathie. C'est ce besoin qui me dicte à présent les ratiocinations dont j'emplis aujourd'hui ce cahier et qui m'en fait bannir toute emphase : que le jeune homme qui me lira peut-être se sente avec moi de plain-pied. Je n'apporte pas de doctrine; je me refuse à donner des conseils et, dans une discussion, je bats en retraite aussitôt. Mais je sais qu'aujourd'hui certains cherchent en tâtonnant et ne savent plus à qui se fier; à ceux-là je viens dire : croyez ceux qui cherchent la vérité, doutez de ceux qui la trouvent; doutez de tout, mais ne doutez pas de vous-même. Il y a plus de lumière dans les paroles du Christ qu'en toute autre parole humaine. Cela ne suffit pas, paraît-il, pour être chrétien : en plus de cela, il faut *croire*. Or, je ne crois pas. Ceci dit, je suis votre frère.

Quelques phrases que j'écrivis au début de la dernière guerre, ou plus précisément après le désastre et au début de l'occupation, m'ont été âprement reprochées. Il m'eût été bien simple de ne point les laisser connaître et je ne me dissimulais pas, les livrant au public, le préjudice moral qu'elles risquaient de me porter. Mais il me paraissait peu décent de tricher en dissimulant mes défaillances. Il est certain que, durant un assez long temps, je crus tout perdu. J'étais seul alors aux environs de Carcassonne et rien ne m'autorisait à supposer la moindre ébauche de résistance. Plus chimérique encore me paraissait une organisation de celle-ci. Lorsqu'un peu plus tard, à Nice et à Cabris, je repris contact avec de vieux amis, je commençai de comprendre que la partie n'était peut-être pas aussi perdue que je pouvais le craindre et que, de toute manière, certains étaient résolus à la jouer jusqu'au bout avec tous ses risques. Je crus d'abord, insuffisamment renseigné, que certains des plus vaillants de nos jeunes couraient aveuglément à un échec certain. Leur sacrifice risquait d'entraîner une hécatombe des meilleurs; en pure perte, et la France s'en trouverait d'autant appauvrie, plus exsangue encore qu'elle n'était déjà. Mais pour la première fois pourtant l'assurance de X, qui vint me parler, à Nice, sa confiance à la fois fervente et calme, fit rentrer dans mon cœur une première lueur d'espoir.

Une seconde visite, peu après, alors que j'étais à Cabris, vint assurer cet espoir trop craintif et tout mon ciel en fut illuminé. Cette seconde visite était celle de Boris Wilde, que, depuis des mois, j'hébergeais dans une chambre dont je disposais au-dessus de la mienne, au sixième. Je ne sais plus quelle heureuse conjoncture nous avait fait entrer en rapports. Comme il cherchait une situation, je l'avais chaleureusement recommandé à Paul Rivet qui dirigeait alors le Musée de l'Homme au Trocadéro. Rivet sut aussitôt reconnaître son insigne valeur. Wilde se montrait peu, si discret, si réservé que je le connaissais à peine, et rien ne m'invitait à prévoir le rôle héroïque qu'il était prêt à jouer dans la résistance. Toutefois, lors de sa visite, à Cabris, la conversation qu'il eut avec moi cette nuit-là me parut d'une telle importance que je n'hésitai pas à le mettre en rapport avec Pierre Vienot qui dormait, ou tâchait de dormir (il souffrait d'une cruelle névrite) dans la chambre voisine de la mienne, chez Mme Mayrisch, sa belle-mère, dont j'étais l'hôte ainsi que Jean Schlumberger. Soucieux de ne point les gêner, Vienot et lui, je me retirai après les avoir présentés l'un à l'autre. Leur conversation se prolongea jusqu'au matin. Wilde s'était récemment marié. C'est peu de jours après cette rencontre de Cabris que Wilde, circonvenu, fut fusillé à Saint-Étienne. Je m'incline avec respect devant cette très noble figure. Ceux qui l'ont connu gardent une sorte de vénération pour ce martyr.

Durant ma très longue absence, qu'était devenu mon appartement ? Occupé par des amis sûrs, il me réservait quelques surprises ; ma bibliothèque du moins. Avec quelle stupeur amusée je découvris certain jour, assez longtemps après mon retour, derrière les rangs pressés des La Curne de Sainte-Palaye, des Forcellini et de maints autres volumes que l'on n'est pas souvent appelé à consulter (moi du moins), une extraordinaire réserve de feuilles, désormais inutilisables, et des cachets, et des tampons, de quoi nantir de fausses identités toute une armée ; de quoi faire fusiller ceux qui avaient assumé la téméraire mission de les répartir. A présent qu'il n'y avait plus lieu de trembler, il ne restait qu'à en sourire. Mais je ne savais plus ce que je devais admirer le plus : de la résolution et de la fermeté dans le courage des résistants, ou de la patiente force de dissimulation dans l'épreuve, qui fit que le secret ne transpira pas, qu'il fut gardé tout le temps qu'il fallut pour mener à bien la plus risquée des entreprises. Les Français firent ici preuve de vertus secrètes dont j'avoue que je ne les aurais cru capables que d'une manière tout exceptionnelle. Décidément, notre honneur était restauré. La question qui se posait désormais devant nous était de nature toute différente : quel pouvait et devait être à présent notre rôle dans un monde neuf? Il ne s'agissait pas seulement de reprendre et de réassurer notre place, mais bien aussi de reconstruire, et c'était sur des sables mouvants...

Je m'inquiétais jusqu'à l'angoisse du désarroi de la génération montante. Elle n'avait devant elle que le spectacle de faillites. Une fois cuvée la première griserie du triomphe, rien plus ne paraissait valoir la peine de vivre. On découvrait partout tricherie, exploitation, abus, et les mots mêmes avaient perdu le sens authentique autour desquels on eût voulu pouvoir se rallier. Je finis par comprendre que la seule entente possible restait d'ordre négatif : il y avait ce que nous étions bien forcés d'admettre, fût-ce provisoirement, et ce à quoi nous nous refusions à consentir : le mensonge. O ruses, ô faux-fuyants, ô compromissions dégradantes! Pas plus envers soi-même qu'envers autrui, et qu'il vienne de gauche ou de droite, soit catholique, soit communiste, il importe de ne supporter pas le mensonge. Ce que je dis là vous fait-il sourire? Alors, c'est que je ne le dis pas comme il faut.

La misère humaine, en s'éloignant de nous, devient abstraite. Je connais maintes âmes très charitables qui cessent de l'être à distance. Que cette distance soit dans le temps ou dans l'espace. De certaines agonies, si ces âmes étaient sincères, elles oseraient dire : Que voulez-vous ?... C'est trop loin. L'imagination défaille à être à l'excès surtendue. On entend le S. O. S. lancé de la maison voisine; mais, passé le premier carrefour, l'appel court risque de ne plus nous parvenir; et des parasites trop nombreux s'interposent. Il est aussi quantité de gens qui sont plus sensibles à l'imaginaire qu'au réel, et qui compatissent plus volontiers aux souffrances d'un héros de roman, si tant est qu'elles soient bien peintes, qu'à celles qui sont à leurs côtés et que, en vérité, ils ne savent pas voir.

Les disponibilités de compassion restent, le plus souvent, extraordinairement limitées; parfois, presque aussitôt épuisées. Et c'est une telle erreur de croire que cent misères sont cent fois plus émouvantes qu'une seule! Quand il s'agit non plus de centaines, mais de milliers, autant vaut abdiquer tout de suite. Aussi bien, devant les immenses détresses, les désastres par trop multipliés, le sentiment change de nature : ce n'est plus la pitié, mais l'indignation qui nous emplit le cœur et l'esprit; la révolte contre l'inadmissible : il y a là quelque chose qu'il faut changer. Alors, on commence à se débattre. Plus moyen de se retirer du jeu. Les dieux ont décidément fait faillite : c'est l'homme même qui doit enrayer la banqueroute de l'humanité. Le plus étrange, c'est que cette banqueroute apparente (serait-ce qu'elle n'est pas réelle ?) coïncide avec un développement inespéré du pouvoir de l'homme, et qu'il suffirait sans doute de consentir à le bien appliquer. Mais il faudrait une entente; or tout travaille à la division. La menace grandit et je me redis en tremblant le vers de Shakespeare :

So foul a sky clears not without a storm.

Je me redis également le dialogue que j'ai lu, je ne sais plus trop où, entre un chef de district anglais (cela se passe aux Indes) et le médecin qui soigne les pestiférés et s'efforce contre les terrifiants progrès du fléau :

« J'ai bien étudié la question et me suis persuadé qu'il suffirait d'une très petite dépense pour...

« Le chef de district : — Combien de vies humaines espérez-vous sauver en prenant ces précautions ?

« Le docteur : — Naturellement je ne puis préciser; mais cela se compterait par dizaines de mille sans doute.

« Le chef de district : — Permettez-moi de croire que je connais la question encore mieux que vous. Dans la région qui m'est confiée, c'est par centaines de mille que se compteront ceux qui sont appelés à mourir de faim cet été. Laissez faire la peste, docteur. Merci pourtant de votre conseil. En attendant, lisez ou relisez Malthus. »

J'arrange et simplifie, mais ne vois pas trop ce qu'a pu répondre le docteur.

Je n'avais pas pris mes dispositions pour vivre aussi vieux. A partir d'un certain âge, il m'a semblé que je quittais mon rôle. Mon optimisme devenait guindé, ou bien il battait en retraite. Il me fallait bien reconnaître que l'aspect du monde ne le justifiait guère et que je ne parvenais à le maintenir qu'en cessant de regarder ailleurs qu'en moi. De la désolation partout; et pas le moyen d'en sortir autrement que par une sorte d'égoïsme qui me dégoûtait : « Moi du moins, je... » ou par ce que les catholiques appelaient : la Foi, contre quoi protestait ma raison. Avais-je donc partie liée avec toute la misère du monde ? Je manquais effroyablement de ce cynisme qu'il eût fallu pour m'en distraire. Mon humeur m'entraînait naturellement vers la joie, il est vrai; mais pour maintenir en moi celle-ci, force eût été d'ignorer ou d'oublier trop de choses. Le monde n'était décidément pas mûr pour pouvoir se passer de Dieu : il sombrait dans une lugubre faillite.

Quant à moi, je me réfugie dans la sympathie. C'est, me semble-t-il, un domaine que l'adversité ne peut atteindre. Je voudrais faire comprendre bien ce que j'entends par là. Je ne le puis que par quelque exemple : il faut remonter en arrière, évoquer un temps où j'étais allé rejoindre les Roger Martin du Gard à l'hôtel de Hyères-Plage, que n'avait pas encore rendu inhabitable la proximité immédiate d'un terrain d'aviation, avec ce qu'il comportait de départs et d'arrivées à toute heure de jour et de nuit. Entente parfaite entre nous; je n'en aurais que d'excellents souvenirs sans une otite qui soudain fonça sur moi certaine nuit. C'était à la suite d'une soirée et j'avais entraîné mes amis à la projection d'un film qui m'avait ravi et que je souhaitais leur faire connaître. Buster Keaton y faisait merveille dans les *Lois de l'Hospitalité*. Nous étions rentrés d'Hyères sans encombre. Je ne m'étais pas plus tôt retrouvé seul dans ma chambre de l'hôtel de la plage que les douleurs avaient commencé de se déclarer. Elles devinrent rapidement si violentes que, chassé de mon lit par elles, j'arpentais ma chambre, ne sachant plus que faire et doutant comment je les pourrais supporter. A la fin, je n'y tins plus : cette sympathie dont je parlais plus haut, il me parut qu'elle seule m'apporterait quelque secours. Les chambres de mes amis étaient séparées; pas très distantes de la mienne. En dépit de l'heure (il était deux heures du matin, environ), j'allai frapper à celle de Roger : « Je n'en peux plus; et vous n'y pouvez rien... que de me tendre la main et de garder dans la vôtre la mienne quelque temps. De sentir votre sympathie, cela seul me soulagera, j'en suis sûr. » Ainsi fut fait. Si atroce que fût la douleur, c'est seulement du répit amical apporté cette nuit-là par Roger que j'ai conservé le souvenir. Ce qu'il fut pour moi dans cette occasion, c'est cela même que je voudrais être pour d'autres. L'on ne peut s'entr'aider que très peu et souvent, hélas! de manière dérisoirement insuffisante et maladroite... Mais la souffrance, dès qu'elle se sent partagée, devient plus aisément supportable. Le plus pénible, souvent, vient de ce qu'elle se heurte à l'indifférence d'autrui. Ceci dit, je me hâte d'ajouter qu'il est quantité de maux que je prétends imaginaires, en face desquels je me déclare impitoyable : peu de choses m'intéressent moins que les prétendues peines de cœur et les affaires sentimentales. La moquerie suffit souvent à les cautériser : on s'aperçoit vite qu'il y entre une grande part de complaisance envers soi-même, de mensonge et de faux-semblant. On est moins réellement épris qu'on ne s'imagine de l'être; et tant pis. Tandis que celui qui meurt de faim, qui voit, autour de lui, ses enfants mourir de faim: voilà des souffrances réelles. Et je me garde, il va sans dire, de hausser les épaules devant ces dilemmes, si fréquents de nos jours, où l'homme est entraîné vers les pires souffrances pour sauvegarder sa dignité. Ce sont ceux-là surtout vers qui afflue ma sympathie; une sympathie qui, le plus souvent, n'est pas en mesure de se déclarer; d'autant moins qu'il s'agit là d'impondérables souffrances, d'inavouables, d'inestimables, mais où la valeur même de l'homme est en jeu. Le lamentable, c'est que sa cote en soit aujourd'hui tombée si bas qu'elle ne prête souvent plus qu'à sourire. Il importe de la relever. Soyons de ceux qui s'y emploient.

Francis Jammes avait écrit, dans le temps, un alexandrin qui fit fortune :

Les Vigny m'emmerdent avec leur dignité.

Je consens que ce souci constant de tenue puisse à la longue devenir irritant. Il tient compte à l'excès de l'opinion d'autrui. J'aime certain laisser-aller et l'abandon au naturel; c'est une des formes de la sincérité sans laquelle je ne me sens pas à mon aise. Il est quantité de gens qui, dès l'éveil, se mettent au « garde à vous » et cherchent à remplir leur personnage. Même seuls, ils se campent. Il va sans dire que ce n'est de cette dignité que je veux parler; mais bien d'une sorte de respect de soi-même et d'autrui, qui n'a pas à se marquer au-dehors.

Quant à ce qu'on appelle l'amour-propre, je crains de n'en avoir qu'une très petite réserve.

Je me souviens de ce charmant retour en auto avec François Mauriac. Il me ramenait de Malagar où je venais de passer en compagnie du père et du fils quelque huit jours des plus heureux dont il me souvienne. Claude était au volant. Il y eut, pour le repas de midi, un assez long arrêt à Brantôme. Le patron de l'hostellerie restait plié de courbettes devant l'académicien, lequel finit par être gêné de recueillir à lui seul toute la révérence dont la maison disposait. Il prit à part le patron et tâcha de lui faire comprendre que je méritais également quelques égards. Tout cela sur un ton enjoué, badin, avec un sens exquis du comique et des convenances. Mais voici que le patron entend mal mon nom, me prend pour M. Gibbs, fournisseur de lames célèbres dont l'éloge s'étalait indiscrètement sur tous les murs de la petite ville. Aussitôt on amène le « livre d'or ». L'académicien s'efface et il n'y en a plus que pour moi. Ceci rentre dans le chapitre particulier sur les malentendus de la gloire. C'est ainsi qu'il m'est arrivé parfois d'être applaudi pour des mots que je n'avais jamais prononcés, ou prononcés sans y chercher malice. Je citerai celui-ci, qui me paraît assez drôle et que je n'ai garde de démentir (encore que, s'il m'est arrivé vraiment de le dire, c'est comme malgré moi, sans aucunement y mêler ce grain de perfidie qui lui donne de la saveur). Cela se passe à la suite d'une projection en petit comité d'un nouveau film inspiré par une cruelle pièce de Strindberg *(La Danse de mort)*. Stroheim s'y montrait excellent. A la sortie, ainsi qu'il sied, l'on me demande mon avis : « Cela vous a intéressé? » Je réponds simplement : « Longtemps »; mot qui court aussitôt de bouche en bouche.

D'ordinaire, l'apocryphe prend le pas sur la réalité, tout comme « la mauvaise monnaie chasse la bonne ». On pourrait en citer maint exemple; mais pour ne m'en tenir qu'à moi, ne vais-je pas profiter de l'occasion pour protester : A la suite de la rupture sensationnelle qui nous fit rejeter de la *Nouvelle Revue Française* en formation l'apport de Montfort et de ses amis, celui-ci reprit la direction des *Marges*, qu'il fit effort pour nous opposer. Quelque fureteur, plus tard, pourra s'amuser à relever tous les brocards dont nous fûmes alors l'objet ou le sujet. On en pouvait récolter également dans je ne sais plus quel journal (*l'Intransigeant*, je crois). Ils sont de qualité si basse que je prends honte à les mentionner. Qu'on en juge : Quelqu'un me voit, ô stupeur! me pencher vers un pauvre (ceci se passe dans la rue), lui tendre une piécette de cinquante centimes et m'entend lui dire (à mon insu, il va sans dire) : « Oui! mais quand me la rendrez-vous? » C'est encore plus bête que méchant; mais que penser de cette anecdote! Née je ne sais où, elle a pris consistance; désormais c'est un fait acquis qui a cours : j'invite un prince russe (d'autres disent un espagnol) à un déjeuner fastueux. Tandis que le repas touche à sa fin, ma gêne devient de plus en plus apparente : il s'agit de régler la note et je ne parviens pas à m'y décider. Soudain je me lève et, m'adressant à mon hôte, je prends sur moi de lui dire : Je vous laisse payer, car il faut que je vous fasse un aveu : je suis avare. Et je m'en vais. Au fond, il ne me déplairait pas d'avoir le cran d'agir ainsi aux dépens du « prince ». Si, comme d'autres le racontent, il s'agit d'un poète pauvre, cela devient une assez sale goujaterie. Quoi qu'il en soit, il n'y a pas un atome de vrai dans l'anecdote. Elle remonte, je l'ai dit, au temps de la brouille avec Montfort. Or, quand je vois dans le *Corriere della Sera* de Milan du 13 janvier, un journaliste italien [1] me prêter, par deux fois, ce même propos niais qu'il place dans une visite qu'il me fit ces jours derniers, il me permettra peut-être de trouver qu'il manque un peu d'imagination.

Il y a ce que l'on est et il y a ce que l'on voudrait être, ce que l'on s'efforce de paraître. Plus l'écart entre l'un et l'autre est grand et plus la partie est risquée. L'amusant est que le naturel prend le dessus en dépit de l'effort que l'on fait pour le travestir : certaines exclamations, certains gestes vous échappent où le spontané se fait jour, et du coup tout le reste paraît comédie. Il serait si simple pourtant de ne rien chercher à masquer : c'est pourquoi me plairait ce mot : je suis avare, s'il était vraiment un aveu; mais je me suis expli-

1. Indro Montanelli.

qué déjà là-dessus. Il peut prêter à la méprise. Quant à mes goûts sexuels, je ne les ai jamais cachés que lorsqu'ils pouvaient gêner autrui : sans précisément les afficher, je les ai laissés paraître; c'est aussi que je n'ai jamais cru qu'ils fussent de nature à me déshonorer. C'est le laisser-aller, c'est l'abandon complaisant à ces goûts qui déshonore; mais ceci ne regarde que moi. Enfin, il y a le tort fait à autrui, qui entre dans un compte spécial où je voudrais qu'un juge pût n'apporter point, dans l'examen d'un de ces cas, une prévention dictée par d'autres considérants que ceux que lui fournirait la seule raison et, si l'on veut, la préoccupation sociale. Mais c'est sans doute trop demander : l'opinion n'attend pas cela pour se former; elle est le plus souvent déjà toute faite d'avance.

Je vais risquer un aveu des plus étranges, que je peux résumer en quelques mots : je n'ai jamais (pour autant qu'il m'en souvienne) *brâmé* pour personne. Ceci a besoin d'explication : j'ai vu, durant ma longue vie, quantité d'êtres épris pour telle personne de l'un ou de l'autre sexe, qu'il suffisait de voir un instant pour être forcé de penser : voici qui ne peut donner que du drame : rien à attendre, rien à espérer : aucune réciprocité n'est possible. Quant à moi, voici qui suffit à inhiber chez moi tout désir : un instinct m'avertit aussitôt; c'est un des secrets de mon bonheur. L'être que je pressens ne pouvoir émouvoir charnellement cesse aussitôt de m'émouvoir moi-même. Ah! combien je plains celui qui arde et se consume en vain! Mais on ne commande pas ses désirs. Les miens répondent immanquablement à quelque gourmandise de l'autre, que je prévois, et même sans aucune provocation. Mon flair, à ce sujet, est devenu, l'expérience aidant, à peu près infaillible. Il me faut ajouter que cette gourmandise que je disais est beaucoup plus fréquente que je ne supposais aux premiers temps; de sorte que je n'ai connu que peu de déboires et que l'inhibition totale de mes désirs d'autre part est si prompte qu'il ne pouvait être question, à proprement parler, de déception. Les relations ne s'en trouvaient aucunement modifiées. J'ajoute encore ceci : le domaine moral ou intellectuel ou sentimental reste en moi séparé de l'excitation érotique au point que l'un exclut l'autre et que mes nombreuses amitiés sont demeurées complètement exemptes de toute intrusion sensuelle. Sans doute n'est-il pas inutile de le dire, car certains parfois purent s'y méprendre, et assurément bien à tort. Sans résolution, sans effort aucun, mes amitiés sont demeurées aussi chastes qu'il se devait : de là leur solidité, leur durée. J'écris à contre gré ces dernières lignes; mais l'imagination des gens est restée sur ce sujet à ce point aberrante que je crois devoir insister.

Le grand nombre des confidences que j'ai été appelé à recevoir m'a persuadé que la diversité des cas d'homosexualité est plus grande, et de beaucoup, que celle des cas d'hétérosexualité. Il y a plus : l'irrépressible dégoût que peut éprouver un homosexuel pour un autre dont les appétits ne sont pas les mêmes est chose dont l'hétérosexuel ne peut se rendre compte : il les fourre tous dans le même sac pour les jeter par-dessus bord en bloc, ce qui est évidemment beaucoup plus expédient. J'ai tenté pour ma part de faire le départ entre pédérastes selon l'acception grecque du mot : amour des garçons, et les invertis, mais on n'a consenti à y voir qu'une discrimination assez vaine, et force m'a été de me replier. Mieux vaut ne pas y revenir sans doute; mais noter peut-être une particularité de ma nature : mon désir, fait en partie de curiosité, s'épuise très vite et même, le plus souvent, lorsque le plaisir est parfait, je me sens saoulé d'un seul coup. Je n'éprouve le besoin ni de reprises, ni de redites. De sorte que l'autre reste déçu. Il est bien rare que, dans quelque accouplement que ce soit, l'un des deux ne reste pas, plus ou moins péniblement, sur sa soif.

Je n'en ai jamais tant dit; mais, sur ce sujet, il semble que plus on parle, plus il reste à dire. Le difficile est de s'arrêter.

Quoi qu'il en soit, je me suis fort écarté de ce que je voulais dire d'abord, qui reste beaucoup plus simple : le nombre de ceux qui sont appelés à faire figure dans le monde et qui consentent, qui parviennent à demeurer naturels, qui ne se préoccupent pas de l'opinion que la galerie (fût-elle composée d'un seul) va se former d'eux, reste extrêmement limité : l'on se campe, l'on se redresse, l'on force le ton de sa voix. Même devant le seul Vendredi, Robinson a tendance à poser; l'ouvrier devant le patron; le patron devant l'ouvrier. Oui, le parfait naturel reste chose si rare qu'il peut prendre air d'affectation. Et peut-être est-il naturel, après tout, que chacun agisse et parle en fonction des autres. Le petit travail de remise au point (comme il advient au théâtre) n'est pas sans intérêt et fait partie du plaisir que nous donne l'art dramatique. N'empêche que La Bruyère a raison (on l'a déjà remarqué) : Tartuffe n'a pas à dire, sinon au théâtre : « Laurent, serrez ma haire avec ma discipline » : ce grossissement n'est bon que pour la scène... et encore...

Maintenant, la question se pose. Elle se dresse devant moi sans cesse : Que restera-t-il de tout cela? Oh! je ne parle pas particulièrement de ce que je viens d'écrire et qu'un trait de plume pourrait effacer; mais de tout ce qui s'écrit aujourd'hui; de ce qui s'écrit en France et ailleurs. Que va-t-il rester de notre culture, de la France elle-même, de ce pour quoi nous aurons vécu?... Persuadons-nous que tout est appelé à disparaître.

Et voici les dernières lignes, écrites le 13 février 51, six jours avant la mort :

Non! Je ne puis affirmer qu'avec la fin de ce cahier, tout sera clos; que c'en sera fait. Peut-être aurai-je le désir de rajouter encore quelque chose. De rajouter je ne sais quoi. De rajouter. Peut-être. Au dernier instant, de rajouter encore quelque chose... J'ai sommeil, il est vrai. Mais je n'ai pas envie de dormir. Il me semble que je pourrais être encore plus fatigué. Il est je ne sais quelle heure de la nuit, ou du matin... Ai-je encore quelque chose à dire ? Encore à dire je ne sais quoi.

Ma propre position dans le ciel, par rapport au soleil, ne doit pas me faire trouver l'aurore moins belle [1].

1. *En marge, Gide a ajouté :* Cette page n'a aucun rapport avec celles qui précèdent.

Puis, au-dessous :

Le dosage insuffisant du gris-bleu du manteau de Catherine a été miraculeusement racheté, par la suite, par l'apport inattendu de la toque. Tout cela d'un goût exquis, évidemment.

ACHEVÉ D'IMPRIMER
PAR L'IMPRIMERIE FLOCH
MAYENNE
(2436)
LE 23 AVRIL 1952
N° d'éd. : 2.889. Dép. lég. : 1er trim. 1952
Imprimé en France